LUKE MAGAZINE | FIRST ISSUE

6 MONTHS LATER

アフターコロナの僕たちへ。

まえがき

僕たちが今、本当に考えていること。

「コロナウイルスの流行によって、世界は大きく変化するだろう」

ウイルスが流行の兆しを見せたころから、そんな予測がメディアを騒がせ続けていました。誰もが当たり前だと信じてきた価値観が一瞬で古びていき、未曾有の事態が訪れたことによって誰もが新たなライフスタイルを劇的に変化させる「べき」なのだという文脈で、〝ニューノーマル〟という新たな言葉も飛び交うようになりました。そんな中で僕たちがふと感じたこと。それは「誰もがみんな、本当にそう感じているのだろうか」ということでした。それぞれが生きる場所で、それぞれが置かれた状況で、本当は誰もが、いろんなことを考えているはずなのに。もしかしたら僕たちに見えているのは、その一部が恣意的に編集された、画一的な情報だけなのかもしれない。

「みんな、本当はどんなこと考えているんだろう？」

そんなシンプルな問いから、急遽この企画がスタートしました。僕たちが

「Thirty-Agers」と呼んでいる「様々な人生をひたむきに生きる人たち」の仲間の中から、21名をジャンルレスにピックアップし、コロナ禍に直面する中で、彼らが今現在、どんなことを本当に感じ、どんな未来を思い描いているのか、ストレートに聞いてみました。

50時間以上に及ぶ長いインタビューを通して最も強く感じたことは、この苦しい状況においても、ネガティブな考え方に囚われ、1秒も同じ場所に立ち止まっている人がいないということでした。誰もがこの状況に真正面から向き合い、自分たちの大切なものは何かを問い、自分たちができることにひたむきに取り組んでいました。僕たちは「ああ、やっぱりそうだったんだな」と強く感じました。メディアが伝え続けるネガティブな情報は、実際のところ、全体の中の「一部」を恣意的に切り取ったものでしかなかったのです。怒涛の変わり身を見せ続ける世界に、可能な限り柔軟に対応しながら、前を向いて、今できることを「必死にやり続ける」Thirty-Agersたちの姿は、アフターコロナの世界に向けた「希望」そのものでした。

これまでとはまったく違った新たなルールが次々と生まれていく中で、アフターコロナ時代の僕たちは、どうやって自分らしい生き方を選んでいけばいいのだろう。21人のThirty-Agersたちの素直な言葉から、少しでも新しい時代を生きるヒントを感じていただければ幸いです。

目次

＊インタビュー記事は5月中旬〜6月初旬にかけての取材をもとに構成しております。

before daylight.
今いる場所から。

2020.5.3　SHO UEDA

コロナの影響で自分たちの結婚式が延期となってしまい、列席してくれる予定だった友人が後日送ってくれた花束。友人の優しい心遣いがたまらなく嬉しかったです。

植田 翔／1989年岡山県生まれ。スタジオ勤務を経て、赤尾昌則氏に師事。2019年に独立し、写真事務所プリズムラインを設立する。

1

広がる可能性。
オンラインで
地域の魅力を発信。

山形県酒田市大沢地区地域おこし協力隊

阿部彩人

山間の小さな町の魅力を発信

山形県酒田市の大沢地区で「地域おこし協力隊」として活動しています。僕は酒田市出身で、東京で学んだことを地元の活性化に活かせればと思い移住して活動を始めました。「地域おこし協力隊」は総務省の旗振りで全国に展開している制度で、地方に移住し、任期は3年間。受け入れる側の各自治体でいろいろな課題解決や地域協力活動にあたり、任期が過ぎた後もその土地での定住を図る制度です。僕が活動している大沢地区は、酒田市の中でも特に高齢化とか人口減少が進んでいる「中山間地域」といわれる山あいの町です。住み始めた頃は６００人くらいの人口だったのですが、今は５５５人。ここ10年間で３００人くらい人口が減っています。地区の中に飲食店や商店、宿泊施設が一軒もないから、外からのお金を稼ぐ手段がほぼないに等しい。その状況で外からお金が入ってくるようになるためにはどうしたらいいかをメインに考えています。農業や自然など、とてもいい地域資源はあるけど、地元の人たちの多くはその価値に気付いていない。当たり前に思っている人がいっぱいいるんです。そういった価値をＳＮＳやYouTubeで発信していくのが目下のミッションです。さらに情報発信とともに、外から人が来たくなるようなイベント作りをしていくこと、それが僕の主な活動です。

移住してくる時には「協力隊が住み始めます」という案内が全戸配布のチラシで告知されたそうです。６００人前後の地区なので外から新しい人が住む機会はゼロに等しい。そういった地域に僕一人で移住する形だったけど、地区の人たちにはすごく暖かく迎え入れてもらいました。最初に住んだのは大きな一軒家。６ＬＤＫとかあるような大きな家に一人で住み始めました。２軒隣に92歳のおばあちゃんが住んでいて、彼女が一人暮らしの僕を見かねて毎日のように小鍋で味噌汁を持ってきてくれたり。山菜や孟宗(もうそう)っていうたけのことか、地域の人たちが食材をいろいろ持ってきてくれるので、ほとんど食費ゼロで生活していました。住み始めて3年目ですが、今ではすっかり住民の一人になりました。

オンラインの可能性を感じた

山形県でも発症者が出てきて、酒田市でも陽性の方が何人か出たタイミングで酒田市全体のコミュニティセンターが休館になりました。僕の勤務先も大沢のコミュニティセンターで、4月10日〜5月9日まで休館となりました。毎日通ってましたが、0歳児の子供が家にいて感染のリスクを抑えたいという奥さんの希望もあって、休館になってから自宅勤務に切り替えて仕事をしていました。この前県内の緊急事態宣言が解除されて、飲食店などの店舗も徐々に営業を一部再開し始めました。けど、まだ全面的にコロナ前に戻るって状態ではないですね。収束を待つというより「コロナとどう付き合っていくか」という方にシフトしていくしかないかなと思ってます。

自粛期間の中で希望に感じたことは、「オンラインの可能性」でした。僕が東京にいた頃、春に山形の郷土料理の芋煮を食べる会を開催していたんです。同じ酒田市出身で東京在住の五十嵐洋介くんという仲間が、その企画を僕が東京を離れてからも引き継いでくれていたんだけど、今年はコロナの影響で外で開催することが難しくなった。そこで、オンライン上で「おうちde芋煮会」という企画を開催してくれたんです。十数名の人が参加して、芋煮の作り方を教えてそれぞれのおうちで作ってもらい、みんなで食べました。高知県や宮崎県在住の方、首都圏出身の方など、山形在住・山形出身以外の参加者も半数ほどいて、オンラインでそういうことができるのはすごく面白いなと。実際のイベントだと開催地周辺に住んでいる人しか参加できないですが、オンラインだとどこからだって参加ができるから、いろいろ新しい試みができそうだなと、僕もオンラインで集まる機会を作っていきたいと思いました。

自粛制限によって生まれたアイデア

一方で、自粛期間に人と会えないのはなかなかしんどいなっていう気持ちもありました。地区の人たちともっと頻繁に会いたかったですし、去年生まれた僕の子供にももっと触れ合う機会を作りたいなって。大沢地区には山に草刈りで描かれる大文字があるんですが、移住してきてからLEDのソーラーライトでライトアップしてお盆の頃に『大沢「大」文字まづり』という祭りを始めたんです。すでに一昨年、去年と2回開催しました。去年は400人くらいの人たちが参加してくれて、「今年はどうしようかな」と考えていた矢先にこういう状態になってしまって。県内の夏のイベントもほとんど中止になっている状況下で、『大沢「大」文字まづり』もそれにならって簡単に中止という判断をすべきかどうか迷った中で、こういう時だからこそ全国から参加してもらえるオンライン祭りみたいなことができないかと考えて、今準備中なんです。こういうアイデアが出てきたのもコロナで様々な制限があったからこそですよね。「できない、できない」と何でもネガティブに考えるのではなくて、限られた中で何ができるのかを、みんなで知恵を出し合うことで新しいものが生まれてきている気がしていて。そういった知恵をどうやって出して、どうやって実現していくかということが問われる時代になってくるんじゃないでしょうか。まだ厳しい状況には変わりないと思いますが、新しいチャレンジをするチャンスを与えてもらったんだと考えるようになりました。

今こうして取材を受けているのも、「実際に人と面と向かわないといけない」って価値観が崩れてきたからだと思います。例えば、今、農業を学ぶビジネス塾を受講しているんですが、本来であれば隣町の鶴岡市まで片道1時間かけて受講しないといけない講座でした。でも今はすべてオンラインになっています。すると往復のための2時間が別のことに使えるようになります。リモートがさらに普及すれば、遠くで開催している講座をオンラインで受講できたりとか、首都圏のイベントを地方で見られるようになったりとか。そういうことはとてもポジティブな変化だと思っています。ただ僕の住んでいる地区は、65歳以上の高齢者が半数なので、PCやスマホを持っていない人がほとんどです。そうなるとオンラインの価値を実際に享受できているのは若い世代だけなんだなって。高齢者の方々をどうオンライン化の波に導いていくかっていうのがこれからの課題ですね。

助け合い生きる

ニュースを見ていると、人の繋がりに対して優しくなれない人が多くなっている気がします。けど、生きる上で人と人との繋がりはなくてはならないものだし、いろいろな繋がりに優しくなれるかどうかが、コロナ以後にすごく重要になってくるんじゃないでしょうか。コロナはまた流行する可能性もあって、完全に終わることはないかもしれない。だからこのタイミングで知恵を出し合いながら「人と人が繋がって、助け合いながら生きる」という価値観が生まれてきたことを、ずっと忘れずに暮らしていきたいですね。

本当は今年、会社を立ち上げる予定でした。大沢地区の観光資源を活かして、外からお金を得ていくために宿泊施設と飲食店を作ろうと準備をしていたんです。メインターゲットを首都圏の人たちに考えていましたが、しばらく経たないと人を呼べそうにない。でもオンラインの可能性をすごく感じているので、その準備を進めつつも、大沢の歴史や自然を体験してもらうプログラムをオンライン上で体験できる方向にシフトしていこうと考えています。生の体験ではないですが、上手くやれば費用もかからず大沢の魅力を多くの人に伝えられるんじゃないかと。地理的に遠くにいる人とも繋がれますし、知ってもらえる機会は逆に思っていたよりも広がったんじゃないかと思っています。コロナが生み出したこの状況ではあるけれど、それをポジティブに捉えて、いろんな地域やいろんな人と繋がるきっかけ作りができる機会なんじゃないかと、楽しみにしています。

1980年山形県酒田市生まれ。芋煮ソング「芋煮 de ハーモニー」や、庄内弁ドラマ「んめちゃ!」などを企画。2018年5月から酒田市の八幡地域・大沢地区の地域おこし協力隊に着任し、大沢地区に移住。WEB SITE http://ayateck.hatenablog.com | INSTAGRAM https://www.instagram.com/ayateck/

2

走り続けること。「ハイブリッド人たらし」の正体。

株式会社ネットマンCHO
稲葉大二郎

オンラインを活用した組織開発

企業と学校向けにITツールを使った組織開発の仕事をしています。人と組織が「ありたい姿」を自ら見つけていくことと、その実現に向かっていける仕組みを作るお手伝いです。コロナ禍で全国の企業も学校も変化を求められている今、我々が20年以上取り組んできた、オンラインを活用することで授業や教務、研修や業務をより良いものにするノウハウが改めて注目されるようなりました。あと地域活動もしていて、地域で活動していく選択をした方々と共に「地域のありたい姿」を実現していく取り組みもしています。地域を選択した人たちが、高い自己肯定感をもってその地域をありたい姿にしていけるような仕組みを作るお手伝いです。長年地域のための活動をしている人に城主を務めてもらって、城下町を再建していくようなイメージで進めているので「城Project」と呼んでいます。その地域で活躍している人とトークイベントを行うこともあって、今後地域をどのようにしていきたいか、対話させていただくこともあります。地域を愛している人たちって、話し出すとどんどん想いが溢れてくる。聞いていて胸が熱くなるんです。地域を長く大切に守ってきた人が活躍できるための支援をしたいし、それにはどうやって地域の人々と一丸となれるかが大事なことです。その地域の雄がどんな価値観や概念を大切にしてきたのか、インタビューを繰り返しながら学ばせていただいています。

変化をポジティブに捉える

緊急事態宣言が出されてから大変なこともたくさんありましたが、ポジティブに過ごしています。逆に、コロナが発生したからこそ、世界は大きく変わるきっかけをつかんだと思ってるんです。

我々は「できたこと」から考える組織開発を発明した会社なんですが、それを徹底するには実はITが不可欠なんですね。世の中の組織開発ってほとんどが「目に見えたり、数字に表れた『できなかったこと』」に起因してる。誰にも見えないところでゴミ拾いをしているとか、業務の質を高めるちょっとしたこだわりを続けている人に光が当たりづらいんです。自分の「できたこと」が仲間に共有されていくと、周囲にも「この人はこのようなところにこだわりがあるんだな」とか「この人は将来こんな人になりたいと思っているんだな」って知ってもらえます。見えづらかった個人のこだわりやありたい姿を見つけられる仕組みです。世界中がオンラインに注目するようになったので、こちらも改めて注目されています。ITツールが一部の人が使うものではなくなり、教育や人材育成を加速させるための装置として世の中に認知されてきたと感じています。命とか経済という意味で大きな打撃もあったのは辛いことだけれど、僕の世界の中では、新しい価値観が生まれ、受け入れる余白ができたって意味で、すごくポジティブな変化がたくさんあったと思います。

オンラインが物理的に越える壁

今オンライン上の酒場「大二郎酒場」を運営しています。オンライン酒場をやるなんてコロナが発生するまで想像もしていなかったけど、社内で「オンラインで交流会を開こうと思うんだけど……」って言ったら、「いいねーすぐやろう！　もう今夜から来れる人だけでやりません?」みたいな。そんなノリで始まった取り組みです。個人的にはずっとやりたかったことだけど、躊躇してきた。悪く言う人が出てくるよなあ、とか気になっちゃって。そういう意味ではコロナで自粛期間だったから始められたのもあるし、僕自身の自己肯定感が上がってきて挑戦する意欲が湧いてきたこともありますね。肯定感を持てていないと、どうありたいかも前向きに考えられないし、失敗が怖くて挑戦できないですからね。いい会社なんですよ、ネットマンって。まあそんなわけで、交流には向いていないと勝手に思っていたオンラインの場が、実はすごく心を通わせられる魅力的な場だってことを実感できたんです。オンラインのほうが良いこともたくさん見つかったんですよ。授業やセミナーもオフラインだと受講者が後方で寝てたり内職したりがつきものだけど、オンラインなら全員最前列みたいな感覚なんですよね。だから話す方だって一人ひとりの顔が見られてすごく面白いんです。オンラインのコミュニケーションってすごく魅力的なんだなと改めて思いました。

挑戦する人のお手伝いが生きがい

コロナが発生して連絡をよく取るようになったのは人事や同窓の仲間など、自分と想いが通じる部分を持っている仲間と連絡を取りやすくなりました。「何かに挑戦したい」ってテーマの話が多いですね。みんな「対話から挑戦するきっかけをつかもう」と連絡をくれるんです。本当にやりたいことに挑戦したいっていう仲間との対話が好きなんですよ。

なので、コロナが起きて一番強く感じたのは、僕が何より「挑戦する人」たちのために生きているってこと。挑戦する人とか変革に挑む人は、たいてい一定期間孤立するものなんです。でも共感者ができたり、周囲に評価される成果を出したりすると、いきなりその人はヒーローというか愛される人に変わる。そういうプロセスに少しでも自分が関われたらめちゃくちゃ嬉しいです。自分の夢や目標を誰かに話してリアクションをもらうってアクションはすごく大切だと思うんです。自分の話をこんなに聞いてくれる人がいる。こんなに自分を思って関わってくれている、とかね。そうやってお互い本音の感情を話せるようになると、相互フィードバックの関係ができて、孤独から解放されていく。これが新たな行動や挑戦のきっかけを作る欠かせない要素なんですよ。

自粛期間に発見した価値

昨年末から神奈川県の葉山に住んでいるんですが、この住環境は最高です。歩いて10分で海も山もあるし、近所のおばさんが食べ物を持ってきてくれたり、近所の兄ちゃんが庭づくりの指導をしてくれたり、この地域に来たばかりの自分に声をかけてくれて、街のことをあれこれ教えてくれるんです。自粛期間のおかげで、好きな街にいる時間がとても増えたのは、嬉しい変化だったかもしれません。この街の魅力を知る機会になりました。

オンラインの飲み友達がたくさんできたことも嬉しかったですね。会ったことのない友達やお客さんがすごく増えましたよ。今までは対面で関係を築いてきた仲間がほとんどだったけど、オンライン仲間がどんどん増えています。「直接会うのが一番!」って感じていた自分だけど、オンラインだけでも「この人最高」ってなっています。会いたい人がたくさんできたので、いつかその人たちと対面で会うっていう人生の楽しみが一つ増えましたね。

そういえば「大二郎酒場」で、会ったことない人に「ごちそうさま」って言ってもらえたんです。それがすごく心に残っていて。お酒もご飯も出していないのに「ごちそうさま」って。なんだかすごく嬉しかったんです。美味しいご飯もいい空間もないけれど、僕が提供しようとしていた「何か」を受け取ったよって言ってもらえた気がしました。

もう一つ心に残ったのが、妻に「仕事頑張ってるね」って言われたこと。日中の仕事や社内のMTG、酒場での仲間とのやりとりまでを見てくれての言葉だったと思うのですが、すごく嬉しくて。この自粛があったからこそのコミュニケーションだと思うんです。

時代は戻らない

「時代は戻らない」が僕のアフターコロナに対するキーワードです。コロナが終わっても、元に戻るんじゃなくて「いろいろ大変だったけど、大きく前進したね」っていう世界しか想像してないですね。コロナによる「教育の確変」みたいなことがたくさん起きると思います。そういう劇的な時代の変わり目に頑張って対応している人を応援したいんです。例えばものすごい不慣れなオンライン活用に対応しようとしている学校のベテラン先生とか、出社できない新入社員にどうにかオンラインで学びを届けようとしている人事の方とか。このコロナの時代に「今まで通りに過ごした人」と「自ら新たな挑戦をした人」の間では、世界の受け入れ方が大きく違ってくるはずです。あるお母さんが、オンライン授業が始まってデジタルに不慣れな先生が一生懸命息子のためにオンライン授業をしているのを横目で見ていたらしいんです。うまくできていなかったりスムーズにいっていなかったけれど、息子が優しい目をしてその授業を受けていることが嬉しかったし、そうやって頑張ってくれる先生に心から感謝したらしいんです。挑戦している先生もかっこいいし、それによって生徒は感受性の豊かさや挑戦への意欲という新たな学びを得ている、新しい時代のワンシーンですよね。先生でも人事でも、「〇〇だからできない」と言って終わりにする人もいれば、今この瞬間も生徒や従業員のために挑戦している人もたくさんいます。この期間に挑戦した人がいるから、周囲はそれまで知らなかった価値に触れることができるわけですよね。「価値」の概念が大きく見直されると思っています。

アフターコロナへの期待と確信

今、続々と新たな支援制度ができていて、たくさんの挑戦のストーリーが生まれています。僕の仕事で言うと、オンラインのおかげで地域の雄との出会いが増えていてすごくワクワクしています。アフターコロナでは地域作りのためのノウハウだって劇的に変わるでしょうね。

企業や学校の在り方も変わりますよね。トップダウンで大変な緊急事態を過ごした経験から、多くのクライアントが組織ごとや地域ごとに自律して活動しています。

あとスポーツ選手の在り方も変わる。僕も昔、本気でサッカーをやってたんですが、スポーツ選手がフィールド上でプレーする以外の価値ってなんだろうといつも考えていました。一昨年、Jリーグのセレッソ大阪で活躍している幼馴染の都倉選手と久しぶりに会ってその話をしたら、お互いすごく盛り上がって、すぐに行動しよう！　となって。YouTubeの企画をしたり、出版やイベントの構想を練ったり、いろいろな企画を始めました。スポーツは地域を支える力を持っているし、アスリート自身が持っている力や可能性にまだまだ社会は気づいていない。「アスリートの価値の言語化」への挑戦を続けます。アスリートが地域や組織を助けるキーパーソンになると信じています。

オンラインとオフラインの価値ループ

僕はやっぱり、誰かが挑戦できる機会を増やしていきたいし、挑戦者のエンジンになりたいです。それと地域を巡った経験が僕の価値観を作ってくれているので、「大二郎が関わってこの地域は良くなった」と言われることも大きな夢のひとつです。地域を支える地域の雄に認めてもらって、「地域でこういう課題にぶち当たってる、ちょうど蟹も美味い季節だし、来ないか?」みたいに呼ばれたいですね。

僕の今後の活動のタイトルは「ハイブリッド人(ひと)たらし」。オンラインでもオフラインでも信頼関係を築ける人になりたい。オンラインが世の中的に身近になったことで、オンライン上で挑戦している人に「いつかオフラインで会ってみたい」と感じさせる価値の高まりのような、そういったハイブリッド型の価値向上ループみたいなものがもうできてますよね。それに「人たらし」っていう言葉も好きなんです。「人たらし」って共感の輪を広げられたり、新しい価値観を受け入れて、自らも与えているような、人が集まってくるすごく幸せな状態のこと。僕にとってはこの上ない高揚感があることなんですよ。

コロナが発生して、もともと信じていた価値観がよりクリアになったと思います。やっぱり人が好きだし、みんなに会いたくてしょうがない。「自分の人生って人との出会いで出来てる」ってことを改めて感じました。「大二郎と出会えて人生がすごく変わったんだよ」ってある友人に言ってもらえたのが嬉しすぎて忘れられなくて、自分が大事だと思っている人からこの言葉をもらうことが僕の夢なんですね。今まではその対象は半径1メートルくらいでしかなかったけど、コロナがあってその幅が一気に広がった。僕の夢は変わらないけど、対象が大きく広がりましたね。

最高のドラマ

半年後の自分には「お前やっぱり人好きなんだな」って言いたい。半年後の自分は大事な人にハグできているかもしれないし、「オフラインやっぱり最高」って思っているかもしれない。でもコロナが発生して人に会えなくなったことで、自身の夢は大きく膨らんだ気がするんです。将来は「コロナが発生していろいろ大変だったけど、教育が大きく前進した時期だったんだ」って言ってるんじゃないですかね。その未来にワクワクできるのは、今この瞬間も挑戦している人がいるから。新しい価値観を受け入れて「今しかない、俺しかいない」って必死に動き続ける挑戦者たちの人生こそが、最高のドラマなんだと思います。

1986年神奈川県川崎市生まれ。サッカーでは中学2、3年全国大会連覇。新卒でみずほ銀行法人担当。そのあとDeloitte Tohmatsu Groupのトーマツイノベーション(現ラーニングエージェンシー)に転職し、人材育成のコンサルタントとして企業の育成プラン構築、研修講師登壇などを主に担当。日本を代表する企業のマネジメント研修や新人研修、OJT研修などを中心に、年間140回の登壇経験あり。地域に貢献したい、挑戦の機会を増やしたいという想いをファンであった永谷研一氏(ネットマン代表取締役社長)に打ち明け、意気投合し、ネットマン社のCHO(チーフハピネスオフィサー)に就任。地域を支える企業や学校と共に幸せを追求する仕事をしている。個人の活動としてもスポーツ選手の価値を言語化する取り組みを行っており、社会をもっと良くしていく中でスポーツの力を信じてやまない。大二郎酒場店主、静岡県座談会主宰、フットサルチームIMAORE運営、他にもSUP、サーフィン、ウクレレなどを楽しむ神奈川県葉山在住の34歳。WEB SITE http://www.netman.co.jp | FACEBOOK http://www.facebook.com/daijiro.inaba

3

自分を知ったからこそ、周りのために頑張れる。

クリエイティブディレクター

上野浩宣

お客様が安心して預けられるクリーニング

「ワードローブトリートメント」というハイグレードクリーニング、オーダーメイドクリーニングの事業を展開しています。一般的なクリーニングと違うのは、お客様のアイテム一点一点をそれぞれに合った形で工程を組むところです。一般のクリーニングの場合、大量に預かったアイテムを、ほかのお客様のものも含めて一緒に洗ったりしますが、僕たちはお客様の思い入れやこういう仕上がりにしたいというニーズをていねいにヒアリングした上で、最適なクリーニングの工程を考えます。お客様の宝物、大切なものをクリーニングするという意味で、トレジャークリーンという言葉を使っています。オンラインでの受注のほか、目黒の青葉台に店舗を構えて対面接客もしています。実はクリーニングというのは、クレームやトラブルが多い業種なんです。クリーニングに頻繁に出される方で、大切なアイテムが特殊な素材で受け付けてもらえなかったり、高級コートやダウンなどがイメージと全然違う仕上がりだったりという経験をされたことのある方も多いと思います。「洗う」ことだけが目的のクリーニング店が多く、「その服がどうあるべきか」っていうことを考えずにクリーニングしてしまっているからです。僕たちの場合は、最初にご要望をお聞きするのは当然ですが、工場で毎シーズン新しい洋服を購入し、どんなデザインでどんな素材が使われているのかとか、こういう汚れはこういう落とし方をしないといけないということをラボで常に研究し、データをアップデートしているんです。洋服のことを熟知した職人がメンテナンスさせていただくので、お客様にとって安心感があるんだと思います。開店して3年目になりますが、「ようやく安心して大切なアイテムを預けられるところができました」という声を聞けるようになってきたので、実店舗をオープンできて良かったですね。

不測の事態に備える意識の変化

店舗をクローズしたのは緊急事態宣言が出る直前の一日だけ。店長と話して「ウイルスが衣類にも付着してしまうんじゃないか」ということで、逆に冬物を早めにメンテナンスに出したいお客様もいるかもしれないと。人の出入りも多くないし、店内にはお客様が一人ずつ入れ替わるので、受付のところにビニールシートを設置したり、消毒液を置いたりといったケアをしながら、通常営業させていただいていました。自粛期間の中で、いままでよりもスローに仕事をしながら、たくさんのインプットだったり、客観的に今の事業を見たりだとか、スタッフともこれからのことをゆっくり話す時間を作れたりしました。経営者としてそういう時間を持てたことは良かったなと思っています。コロナに限らず、イレギュラーなことに対応できるようにしておくことは大事なこと。普段から準備をして活動をしていないと、物事が起きてからでは遅いと感じました。スタッフの意識もずいぶん変わったし、僕たちとしてはポジティブにこの期間を過ごせました。これからの体制も整理されましたし。自粛ムードが一気になくなるわけではないと思いますが、今後がとても楽しみですね。

個人的なことでは、いままでいろいろ無駄が多かったなというのは感じました。時間の使い方がうまくできていなかったんです。飲みに出かけたり、スーパーに買い物に行ったりってこともそうだけど、もっと効率よく時間を使っていけば、ほかのことに時間を使えるんだなって。そうやって自分の生活を振り返ってみて思ったのは、やっぱりまずは自分のために生きていかなきゃなってことですね。それまではどちらかといえば「スタッフのため」とか「家族のため」とか、それがあるから頑張れる、みたいな部分で解決していた自分がいたんです。でも、関わる人が多ければ多いほど、自分という人間がどう変わって、どう考えていくかがすべてなんだなって思うようになったんです。自分がどうできるかがはっきりしているからこそ、周りのために頑張れる。これからはそういう部分を大事にしていかないとダメだと思いました。

心強い仲間が周りにいることを実感

一緒に頑張れるスタッフがいること、そもそも自分が活動できる場があるってことが単純に嬉しかった。こういう環境、チーム作りをしておいて本当によかったと思っています。3・11のときには僕はまだ会社勤めをしていたんですけど、その時はどちらかというと仲間意識みたいなものがなかったんです。けど今はこうして何か問題が起きた時に、生活や事業などを一緒に取り組んでいく仲間がいることが、本当に心強いと感じました。

大切なのは気持ちを強く持つこと

自粛の間に観た映画では、ケン・ローチ監督の『わたしは、ダニエル・ブレイク』が今の状況と話がリンクするところがあって面白かったです。イングランドで暮らす老人の生活状況が悪化していく中で、いろんな制度を受けて生きていこうという話なんですが、最後には時代や国の制度に順応できなくて志半ばで終わってしまう。その感じが給付金をはじめ、いろんな制度がなかなか落ちてこない今の日本の状況とすごく似ていました。テンションが上がるようなテーマではなかったのですが、最後までしっかり観ました。

YouTubeで誰かが「毎日が気持ちの戦いだ」ということを言っていて。この言葉を、自分たちの中でも大事にしていかなきゃと思いました。気持ちって毎日変化していくものですが、目標や志を達成するためには、結局最後には「気持ち」で乗り切っていかないといけないんです。アフターコロナの世界は、経済的にはしばらく厳しい状況が続くと思います。その中で事業する人間として、自分の気持ちを毎日ポジティブに保っていくとか、そうやって自分に何かを課して生きていかなきゃ乗り切れないし、事業家として生きていけないと思っています。

今回、日本という単位で考えると、だめなところがたくさん出てしまったのかなとも思います。でも、それを変えていきたいって人がたくさん現れると思うんです。古い考え方だったり、制度だったり体質みたいなものを変えていこうっていう志を持った人や会社がどんどん出てくるはず。今回のコロナ禍を一つの起点として、もっと古いまま残っていた無駄なものが淘汰されて、新しく、効率よくみんなが過ごしていける社会に変化していけばいいなと強く思います。実は時間に余裕があるから、もう一回英語の勉強をしようとCamblyっていうアプリを使っていろんな国の先生にレッスンを受けているんです。そこでもやっぱりトピックとしてコロナが上がる。いろいろ話すと考え方だったり環境などはそれぞれ違うんですけど、出来事としてはみんな同じ経験をしているので、共通で話せる話題でした。このトピックを軸にすれば、世界全体がどういい方向に変われるかっていう話をできる気がするんです。そうやっていろんな国の人たちと話せるインフラが整っていくと素晴らしいいんじゃないかな。

これからは自分たちのことも発信していきたい

以前は自分たちが発信することより、相談されたことに対して改善点を提案するスタイルで仕事をしていました。ただ、こういう状況になると苦しい部分もあるし、自分たちで発信して、取り組んでいることをたくさんの人に共感して欲しいと強く思うようになりました。今後の事業でも自分たちが発信できる場を作って、積極的にアピールしていきたいですね。考え方が大きく変わりました。まずはYouTubeチャンネルを使って、クリーニングの利用方法、僕たちの得意なポイントをわかりやすく説明して、積極的に発信していきたいですね。クリーニング業と平行して活動中のWEB制作の方で、新たに映像制作部門を立ち上げようと思っています。撮影から編集、コンテンツを考えるまで、どんどん自分たち自身の手でできるようなビジョンを作りたい。4月の終わりから動き出していたんです。アメリカの大学に通っていたスタッフも加わったので、海外にも発信していきたいですね。

　仕事を始めてからずっとファッション周辺の仕事に従事しているので、今後も軸になるのは服を着るとか、ファッションのあるライフスタイルを楽しむ満足感をお客様に味わっていただくことだと思っています。その手助けになるようなソリューションにどんどん携わっていきたい。WEB関連でもう一つ考えている事業が、VR。VRだけのファッションブランドを今、計画中なんです。どんどん新しいデバイスや、5Gなどの通信が普及し、動きがシームレスになると、リアルな世界で服を楽しむ人だけじゃなくて、バーチャルなアバターをおしゃれにしたりそこに投資をしたりして楽しむ人が増えていくと思うんです。だから、バーチャルの世界でもファッションを提供していけないかなと思っています。

自分たちの世代が奮起するとき

　自分たちのキーワードは「be a good」ですね。会社名自体がこの言葉をもじったBEAGOODなんです。「〜を良くしていく」っていう意味合いです。僕たちができるのは、ソリューション、つまり「改善」を提供していくこと。そういう部分をもう一度自分たち自身で再認識したいです。いつでも周りの人たちにとって必要な存在でありたいなと思います。

　日本は世界と比べるといろんなことが遅れていたんだってことに気付かされた人が多いと思います。特になかなか世代交代ができていないなって感じています。僕は38歳なんですけど、その前後の35歳から40歳くらいの人間が、もっと世の中を変えていくために積極的に活動していくべきだと思っています。僕らの世代からリーダーが登場していって欲しいです。

　コロナが収束したら、映像編集をどんどんやっていきたい。海外に行って撮影もしたいです。海外に行きたいマインドがどんどん強くなっているんです。それと5月5日にうちのスタッフが結婚したんですが、まだお祝い会がやれていないので、それを一番最初にやりたいなって思っています。

株式会社ベアグッド代表取締役。オーダーメイドクリーニング「ワードローブトリートメント」プロデューサー。WEBデザイナーを経てWEBディレクターに転身。編集プロダクションに在籍中ファッション、ライフスタイルの分野において多数のオフィシャル・プロモーションサイト、WEBマガジンの立ち上げに参画。2013年独立以降は大手アパレル通販サイトのクリエイティブディレクターを歴任。近年はファッションカテゴリーを越えたデジタルの分野においてサービスの企画／スタートアップ支援、ブランディングパートナー業務に従事。WEB SITE https://aobadai.wardrobetreatment.jp | https://www.beagood.jp

before daylight.

今いる場所から。

2020.5.12　ERI KAWAMURA

自粛が続き自宅待機の日々の中で、食べる事がいつにも増して大切でした。料理をして食べて、自分と家族が元気でいれば、急に訪れた新しい世界ともうまくやって行ける気がしました。

川村 恵理／久家靖秀氏に師事後、2017年からフォトグラファーとしての活動を開始。人物、静物、風景と様々な撮影を行う。現在「都市の肌理」を テーマにした写真集を制作中。2020年秋頃出版予定です。

4

「創業100年」を誓い、家族で越える新たな時代。

天津飯店3代目

貝塚弘光

屋台からのスタート、祖父への思い

祖父の代から家族で中国料理店を経営しています。6月15日に私と一番上の兄が3代目に就任します。現在取締役の私は主に店舗の営業活動をしていますが、そのほかにもメニューを作ったり、店舗と打ち合わせをしたり、お店にも出ています。2005年に祖父が亡くなった時に、この店を継ぎたいという想いが強くなったんです。祖父が中国の天津出身だったから天津飯店。祖父が亡くなり中国でお葬式をした時に、祖父が生まれた家を見に行きました。それが言葉では表せないほど貧しい家だった。その祖父が日本で餃子などの点心を売っていた屋台からスタートしたお店が、今もこうして続いている。私たちは日本で何不自由なく生活してきましたが、そういう歴史を知った時に、誰かが継がないとのれんはなくなってしまうんだ、という思いに駆られたんです。

人の繋がりで支え、支えられ

今は全部で10店舗ですが、4月8日の緊急事態宣言から2ヶ月間全店休業中です。かなり売り上げは厳しく、ネット通販を始めたり、デリバリーも準備中です。本店は西新宿で36年営業しているのですが、昔から多くの病院関係のお客様にもご来店いただいています。それもあって、「医療に従事する方々を応援したい」という想いから、お弁当を週に1回無償で届けています。休業を決めましたが、社会のために何かできないかとスタッフからも意見をもらって、2ヶ月間続けています。「美味しい、またお店でも食べたい」など、嬉しい言葉をたくさんいただいて、やっぱり人って繋がっているんだと改めて感じました。

「いらっしゃいませ」と迎えられるその日まで

売り上げはゼロでも家賃や給料は発生する。実際はかなり厳しいです。リアルな話では10店舗全店で家賃交渉をしています。1万円でも2万円でも、大きいから。

コロナになって、「飲食店もテイクアウトやデリバリーで頑張ってます」ってメディアで言われるけど、実際のそのような売り上げは本当に少ないものなんです。6月1日に店を開けてもソーシャルディスタンスで座席を空けたりすると、ざっくり計算しても、今までとは考えられないような売り上げです。それでも、飲食店は明るく「いらっしゃいませ」と迎えるのが商売ですので、暗くなってばかりはいられません。ポジティブになるためには、やっぱり新しい事業かなと。テイクアウトに、デリバリーに、EC事業にもっと力を入れるとか、今後は宅配専門店を作ってもいいかなとか。コロナの前よりももっと売り上げを伸ばせるような新事業で、ポジティブな気持ちに持っていきたい。危機感はありますけど、逆にチャンスでもありますから！

気づかなかった素敵な価値観との出会い

外食の仕事をしていると、自分が外食する機会も多いんです。それができないことに、驚きがありました。街作りには、飲食店が絶対に必要なんです。「うまいもの」と「楽しい空間」。食べて飲んで、みんなが楽しんでこそ、街が明るくなると思うんです。そうやっていままで気付かなかったことが新鮮に見えるのはとてもよかったですね。毎日犬の散歩に行くのですが、新しいお店を見つけて、コロナが落ち着いたら行ってみようとか。歩いて20分のところに代々木公園があって、この季節が本当に気持ち良くて、妻と犬と3人でフリスビーをして、「ああ、なんて素敵な時間なんだろう」って。時間があるので映画をよく観ているのですが、改めて昔の映画の素晴らしさを感じています。今は旅行に行けないから『深夜特急』をDVDで観てます。1997年くらいの大沢たかおさんが演じた作品で、改めて観て非日常を感じました。

「家族」と「社員」のために生きています

両親と兄弟とはいつも連絡を取っていました。父に持病があり、母も身体が強くないので、日々「大丈夫か？」という言葉で繋がっていました。当たり前ですが、家族と一緒にいられることが一番幸せです。もし一人暮らしだったらって想像しただけで泣きたくなりますね。それとやっぱり大切だなと思ったのは、社員。仕事を愛してくれる「人」がいなかったら、どんな仕事だってうまくいかない。だから誰一人辞めて欲しくないです。4月、5月も、給料は全員へ全額支払いました。社員から「こんなにいただけると思いませんでした。感謝します、これからも頑張ります」というメールをたくさんもらったので、もっともっと頑張ろうと、僕も含めて社員全員が思っています。弊社のほとんどの店舗が年中無休で営業しており、まとめて休んだことがない社員が多く、休みのリズムに合わせるのが難しいですね。あまりスタッフ個人に依存し過ぎないために、情報を共有しておかなきゃって思いました。当たり前ですが退職したり、定年だってある。誰か一人に依存するんじゃなく、どんなことでも情報を共有して、誰でもすぐにアクセスできる環境を整えていきたいです。

経営者として自立した考えを

これからは「事業の多様化」がより大切になるでしょう。AがダメでもBで稼ぐみたいに。キャッシュは何より大切ですよね。飲食店のほとんどは3月、4月が売り時で、いきなり売り上げがどんと下がっちゃうと、お金がどんどん出て行ってしまう。そこで頼りになるのは、やっぱりキャッシュなんです。最後は、国に頼り過ぎないことです。持続化給付金も一店舗でスタッフが少人数なら200万で助かるかもしれないけど、100人以上社員がいても同じ金額だと正直厳しすぎます。会社ごとではなく、店舗ごとの補償が大事です。国がすべてを補償してはくれないってことはよく理解できました。あとは自分自身を信じるしかない。だからキャッシュがとにかく大切なんです。

創業100年に向けて新たなスタート

大事にしている一つの言葉が「七転び八起き」。転ばない人はいないじゃないですか。その時、「立ち上がる力」が大事だなと常々思っています。コロナも含めて、みんなが力を合わせて立ち上がることができれば、どんな困難でも乗り越えられていくって信じているんです。

とにかく「当たり前のこと」に感謝です。こんなことが起こるなんて誰も思っていなかった。今まで66年この商売をしてきて2ヶ月間お店を休むどころか、一週間も休んだことがなかった店なんです。それが急に2ヶ月間休みっていう現実に直面して、いろんな面で世の中が変わるだろうなと感じました。父もデパートが2ヶ月近くも閉まるって話を聞いてかなりショックを受けていましたね。父の世代はデパートに出店すれば売り上げも上がった時代だし、一緒に成長させていただいてきたから。若い世代は急速にデパート離れしていることもあったし、コロナが起きて、飲食業も「新しい形」を見つけていかなければということは、よく話しています。それでも、食べて元気になるっていうのは人間の基本。だから形が変化しても絶対に必要な商売なはずだから、100年目指してやっていこうって家族でいつも話しています。

あたり前の距離感に改めて感謝

不要不急の会議はオンラインでいいなと思いますね。往復の時間や交通費を費やしての打ち合わせ、というのはナンセンスになっていくと思います。2番目の兄がJR東海で働いていますが、出張がなくなるかもと嘆いてました。それと、人同士が距離を取らなければならなくなったことで、「人と会っている時間」を、いままで以上に大切にしなければと思います。すでに人と会わずに何でも手に届くようになっているし、より世の中はデジタルな世界になっていくと思うのですが、逆に「実際に顔を合わせる距離感」の価値が見直されるでしょう。プライベートでも仕事でも、当たり前に会えていた人に会えなくなってしまった。だからやっぱり「会っている時間」は特別だし、とにかく大切にしたいと思っています。

同窓との絆でコロナを乗り越える

暁星学園が母校なんですが、飲食店など食に携わる方が多いんです。こんな状況だからこそ何かできないかと思いました。その時に同じ学校の飲食店の仲間が集まって「Gyosei Eats」っていうのを始めたんです。サイトで注文できるわけではないのですが、同窓でそれぞれの飲食店の活動状況が見られるサイトを作成して、今50店舗以上掲載しています。それが割といろんな人に見てもらえています。こういう時だからこそ誰もが「人との繋がり」を感じている。「テイクアウトするなら知っている人のところへ行こう」ってなりやすいんですね。同窓の繋がりは本当に強いから、こういう時になるといろんな人が助けてくれたりするんですよ。私たちがお弁当を無償提供して、医療従事者の方々を応援させていただいてるのもそうですし、知り合いで紙袋を作る会社が飲食店に無償で何万枚も紙袋を配ったり、また、同窓であるお菓子屋さんは、全国の病院で希望者にお菓子を無償で送るというような活動をされています。困ってる人の状況を理解し、応援し、解決できるようにみんなで協力し合う活動は継続していきたいですね。人に優しくできること、そして、困ってる人を放っておかないこと。僕がコロナ禍を経て学んだことです。でも人はすぐに忘れてしまうもの。今回のことで学んだことを、できるだけ忘れずに生きていきたいですね。

日々に感謝、進むしかない

いろいろ予測ができないことが起きても、その日その日をていねいに、大切に暮らしていきたい。「日々是好日」。いい日もあれば悪い日もあるし、完璧な一日はない。でもその日を無事に迎えられたことに感謝して、素晴らしい一日にしようと想う気持ちこそが、一番大事なんじゃないかと思います。

半年後の自分には、「どんどんタフになってください」と言いたいです。今後さらにいろいろなことが起きると思う。その度に立ち上がるために、あらゆる面でタフになっていて欲しい。そして将来は「当たり前のことが当たり前にできるっていうことに感謝しよう」っていうことを次の世代に伝えたいです。そして、みんなが大きな壁を乗り越えられたんだって。そう伝えられるように、今はとにかく頑張ります。

２０２０年６月15日より株式会社天津飯店ホールディングス代表取締役社長就任。１９５４年創業、中国料理専門店「中国老舗 天津飯店」を経営している。天津飯店グループで新宿、銀座、東京、大手町、池袋など5ブランド直営10店舗とFC3店舗を展開中。１００年企業を目指している。

WEB SITE https://tenshinhanten.com

OUR ASSOCIATES

5

近未来は、
「バーチャル体験」で
建築をデザインする。

建築家

住友恵理

海外留学での経験を活かす

建築家として建築の設計をしながら、VRやARを専門とするコンピューテーショナルデザインの建築の研究をしています。それを専門とする研究室で助教もしています。大学の建築学科で学び、卒業して建築事務所に就職しました。建築科はほとんどが大学院に進む人が多いのですが、いつか海外に留学したいと考えていたのでそのまま就職したんです。その後退職し、2年間ロンドンで学びました。日本では学べないデザイン、特にAR（Augmented Reality／拡張現実）を使った建築学を中心に勉強しました。私は30歳で、ほとんどの学生が25～26歳なので新鮮でしたね。いろんな国から留学生が集まっているのですが、8～9割が中国人。彼らはとてもはっきり発言するし、常に積極的だったので、刺激を受けました。

常に社会の動きと向き合う

コロナ禍での不安は、今もゼロではないですね。大学も2ヶ月ほど休校になり、研究会などもすべてオンラインになりました。私の場合、建築の仕事はほとんどが個人宅で、現地調査などで地方に行くことも多いのですが、ちょうどそういう機会が少ないタイミングだったのは良かったですね。建築家の仕事というのは常に時代や社会の動向を先読みするものだし、何か突発的なことが起きた時も状況に柔軟に対応しながら提案するものなんです。つまり「その時の社会の状況に向き合う」ということ。だから今回のコロナ禍でも、仕事の考え方を根本から変える必要はなかった。それはポジティブなことだったかもしれないですね。

ポジティブなチャレンジに転換

自分の所属する研究室の合宿が中止になったので、オンライン合宿をやってみました。教授と私のようなチューターが何名か、そして生徒が25人くらい。1人が自宅でワークショップを開き、みんながライブで観たり、その場所にそれぞれデータを送って実際に作ってみてもらう、みたいな試みをしました。最初は難しいかなと思っていたけれど、やってみたらできました。留学生も多く、日本に戻ってこられない人も大勢いたのですが、オンラインなら誰もが参加できるし、オーストラリアの方を気軽にレクチャーに呼べたり、そういう「気軽さ」は新たな発見でしたね。YouTubeでストリーミングしながらVRモードで誰もが同じ部屋にいるような体験をする、ということにもチャレンジしました。ダンボールでできた簡易的なVRゴーグルを使って。なるべく「体験型」にするようにしたので、生徒たちも面白かったようですね。準備はとても大変でしたが(笑)。

難しいのは一人ひとりの様子がよくわからないこと。みんな一斉に発言するのは難しいから、聞く時間が増えて、発言するチャンスが減ってしまうんです。特に引っ込み思案な人は、発言が難しいかもしれないですね。

心のつながりが救い

コロナが起きて、一番連絡を取っているのは母親かな。いままでは月に1、2回は会っていたけど、突然会えなくなったので「元気にしてる? マスク足りてる?」って普通の会話をしています。それ以外は自分の仕事が手探りの状態だし、時間の多くは自分自身のために使っています。

実はコロナが流行する直前に私とパートナーが気に入った家に引越しをしたんです。部屋の居心地の良さはもちろんですが、夕陽がきれいだったり、窓から見える木々がきれいだったり、好きな家具や植栽に囲まれていたり。全然特別なことじゃなく、毎日の暮らしの中で、そういう「当たり前」を感じられることがどれだけ幸せなことなのか、実感しましたね。彼のリモートワークがスタートしたのが5月に入ってからだったのですが、彼がリモートになったことでとても安心しました。

もともとNetflixをよく利用していましたが、ゆっくりする時間が多くなったし、この機会に少し前の映画をまとめて観ましたね。特に今ハマってるのは、『クィア・アイ』。LGBTQのQ、クィアの人たちが相談を受けて、一般の人のライフスタイルを変えていくというリアリティショー。毎回いろんな人の人生が垣間見えて、すごく面白いんです。

日本の感染者数が増えてきた頃に、立て続けに海外の友達からメッセージが届きました。大学時代の友達で、タイや台湾など自国に帰った人や、イギリスに残っている人もいて、みんな「大丈夫なの?」って。そういうメッセージのあとに、「健康でいてね」という言葉が添えてあることが、すごく嬉しかった。彼らの中にはロックダウンで買い物以外家を出られないという人も多いし、実際には私よりずっと厳しい状況だったと思うんです。それでも「一緒に頑張ろう」って言ってくれる優しさに救われました。

固定観念を裏切る発想へ

いろんな場所や建築物を作る仕事をする人間としては、「場所」のデザインの考え方が根本的に変わっていくんじゃないかと思います。いつ今回のようにシビアな状況が起こるかわからないって事実が認識されて、ライフスタイルは劇的に変化すると思うんです。学校やオフィスなど、毎日当然のように通っていた場所が「人が集まる場所」それ前提としてはデザインしづらくなるでしょう。それと、職場以外に仕事ができる場所の確保だったり、自宅をどう仕事場として快適に使うか、という価値観が重要になってくると思います。これまで家は仕事場として作られていなかったから。オンライン授業もVR技術を使って、距離が近い関係を作っていくこともできる。そうなったらバーチャルの学校に生徒も先生も世界中から集まって。「留学はお金かかる」ってイメージがなくなるかもしれません。

ARやVRと建築というと、すごく未来的なもののように捉えられることが多くありました。ゲームや音楽、アート業界などはそういう技術を取り入れるのが早いのですが、建築業界は割と保守的な世界なんです。でも急遽リモート環境が必要になって、リモート上であらゆることをシェアしたりすることが必要になったことで、バーチャルな環境とか考え方が急に現実的になってきた感覚はありますね。だからARやVRはさらに必要性が出てくるでしょうね。実際、ポケモンGOのように、何もない実際の敷地に「こんな建築物が建ちます」っていうのをバーチャルで見せる提案もしやすくなりましたし。そういう技術のニーズが増えたし、いままでより受け入れられやすくなってきましたね。

アップデートがあたり前

生きてる間にこんな大変なことが起きるんだって改めて思いました。しかも全世界で。けど、だからこそ建築的で柔軟な思考が必要な世の中になるな、というのが確信としてあります。建築の世界は常に柔軟さが必要で、何かが起こるたびに、考え方や方法をどんどん更新していくことが当たり前なんです。東日本大震災の時も、誰もが直後から「この後どうやって街を作っていくのがベストか」を考えていましたしね。

働き方は大きく変わるでしょう。みんなが必ず同じ場所にいなくてもいいし、個人がどこにいてもいいですから。打ち合わせや研究会みたいなものは、時間もきっちり区切られるし逆にオンラインの方が効率がいいかもしれないです。そうなると出張も、どうしても現地に行かないとできないこと以外はオンラインに移っていくかもしれません。私の場合、すごく遠い場所が多く、泊まりがけで打ち合わせに行くようなことも多かったので。

建築の仕事に関していえば、さらにいろんな提案の仕方が生まれてくるはずで、そうした中で新しい技術を使って提案する取り組みを積極的にチャレンジしていきたいですね。あとは、外食産業やホテル産業、劇場や映画館がすごく経済的に苦しくなっているということを聞くと、それはそれらの場所が一つの目的のためだけに作られた場所だからなのかもしれないと考えるようになりました。もっとそれぞれの場所がほかの目的にも使えるように設計するとか、そういうフレキシブルな考え方が重要になっていくと思います。特にこれから事業を始める場合は。もちろん美味しいご飯を食べたい人も、いいお芝居を観たい人も減ることはない。だから提供の仕方を変える、とか視点を変えればいいのかもしれないです。

自分の軸で未来へ

半年後にも、自分には今のまま頑張って「そのまま進んでほしい」ですね。自分の価値観にタイトルをつけるなら、「未来的現実」みたいな感じかな。

世界のほとんどすべての人に影響を与えたコロナ禍のインパクトは、とてつもなく大きいでしょう。将来は、コロナ以後に生まれた人たちにとっての当たり前が、コロナ以前はまったく当たり前なんかじゃなくて、コロナによって急激な変化があったんだよ、と伝えているでしょうね。

ただ、どれだけ世の中が変化しても、いままで通り人に直接会うフィジカルなコミュニケーションはとても大切だと思います。コロナが収束したら、またいろんな人と自由に会えるようになりたいですね。それと同時に、一人ひとりがもっと自分らしい生活スタイルを選択できるようになればいいですよね。誰もが同じじゃなくて、もっと自由にそれぞれに合った場所や時間軸で過ごすことが、これまで以上に受け入れられるようになって欲しいですね。そうなれば、みんながもっと楽に生きられると思います。

１９８６年東京都生まれ。２０１０年東京大学工学部建築学科卒業。２０１０～２０１４年千葉学建築計画事務所勤務。フリーランスを経て、２０１６～２０１８年イギリスのバートレット建築学校にて修士号取得。２０１９年帰国の後、建築設計、プロダクトデザイン、グラフィックデザインや、デジタルデザインを主軸にしたリサーチを手がけるデザイン事務所ERI SUMITOMO ARCHITECTSを開始。２０１９年～慶應義塾大学ＳＦＣ上席所員。WEB SITE https://www.erisumitomo.com

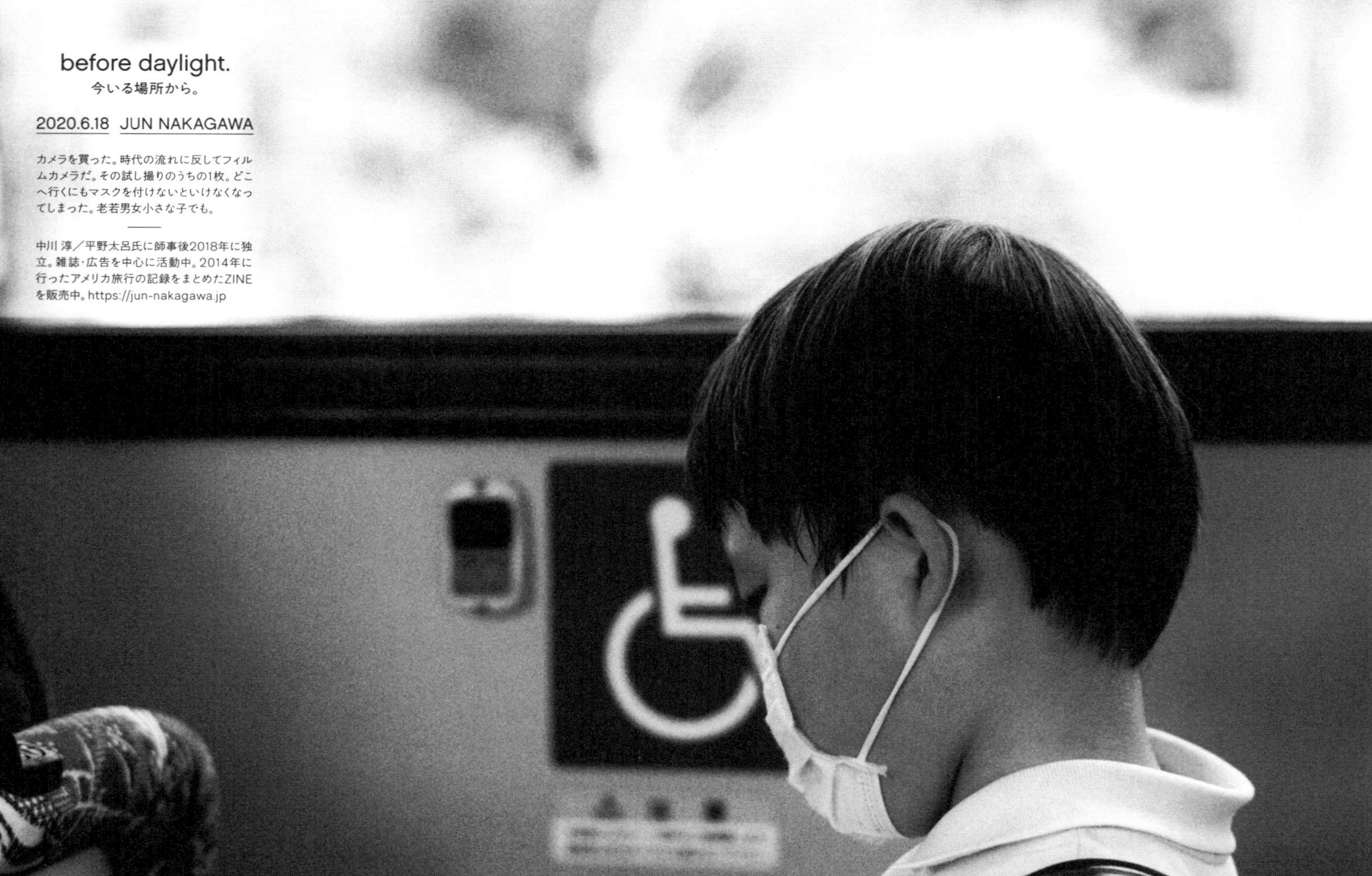

before daylight.

今いる場所から。

2020.6.18　JUN NAKAGAWA

カメラを買った。時代の流れに反してフィルムカメラだ。その試し撮りのうちの1枚。どこへ行くにもマスクを付けないといけなくなってしまった。老若男女小さな子でも。

中川 淳／平野太呂氏に師事後2018年に独立。雑誌・広告を中心に活動中。2014年に行ったアメリカ旅行の記録をまとめたZINEを販売中。https://jun-nakagawa.jp

社会が
自分の働き方に
フィットしてきた。

ライター・編集者

徳永啓太

障害を持つ立場から世界を見る

主にファッションと時事ネタを扱うライターをしています。私は車椅子に乗っているので、当事者目線で文章を書いたり、デザイナーと福祉を繋ぐような企画をしたりしています。社会問題をテーマにしたインタビューなども行っています。個人のインスタグラムで自分が思うファッションについて書いたり、「Lyuray」という英語圏の人に日本のブランドを伝えるサイトで、依頼を受けてインタビューをしに行ったりもしています。

自分でもできることでみんながWIN-WINに

自粛期間が始まって最初に連絡を取ったのは昨年からアドバイザーとして関わっている福祉就労施設ですね。福祉就労施設とデザイナーを繋ぐプロジェクトをやっている最中なんです。福祉の職場が営業中止になったら、すぐに連絡を入れました。そのプロジェクト自体が成り立たなくなるから、すぐに連絡を入れました。そのプロジェクト自体は私が個人で活動しています。もちろん支援していただいたり、サポートをしてくれるメンバーなどもいますが、企画や活動そのものには個人で運営しています。連絡を入れたら、体調の悪い方や感染者が出ておらず、継続して営業しているとのことで、ホッとしました。

プロジェクトの一環で5月末にマスクの発売を予定しています。そもそもこのプロジェクトがスタートしたのはコロナの流行がきっかけでした。流行が始まって、不要不急が叫ばれる中で、ファッションの世界でも知り合いやデザイナーの方々のSNSでネガティブな発信が多くなっていった。その時に何かできることはないかなと思ったんです。デザイナーじゃないし、お店を経営している立場でもないですが、それでもなんとかしたいなという気持ちがあった。それで、福祉就労施設もデザイナーも、それを売っているショップも、全員がWIN-WINになるような仕組みを作ろうと。マスクだったら作れるんじゃないかと考えて、就労支援施設の利用者さんに作ってもらった。表面のデザインをデザイナーに起こしてもらって、それをセレクトショップを通じて売る。全体のお金の流れをきちんと考えた上でプロジェクトを進めています。軽はずみに言いたくないですが、コロナで命の大切さを思い知らされたけれど、生きていくにはお金も大事だよねっていうか。

コロナで国の動きに興味を持った

あんまり個人で政治のことを言ったって何も変わらないだろうというような考え方だったんです。このコロナでそうはいかないな、ということに気づかされて、政治にも興味を持ち始めました。興味を持たざるを得ないというか。自粛の情報も気になるし、補償とかも気になり始めると、お金ってどう使われているんだろうとか、税金の使われ方とか考えるようになる。今回の対コロナって世界のスタンスが如実に現れてますよね。フランスはロックダウンするとかブラジルやスウェーデンは経済を動かすとか中国は完全監視社会なんだとか、すべてが見えてきた。それを考慮した上で、日本ってどうなんだろうと考えると、いろんなことを事前に調べられることができた。政府がどういう対応をしているかとか。それを基準に自分の移転先を決めてもいいかなと思いました。例えばロックダウンして、生活を保障する姿勢を見せたフランス。なあなあで保障もふわっとして何もない感じだけど、ギリギリで回っている日本。そういうことがクリアに見えてきたかなと思いますね。イタリアに行くのはやめようとか(笑)。のんびりしたいい国だと思っていたけれど、感染拡大のスピードが凄まじかったですからね。僕自身オリンピックを経験した後、海外に出ようと思っていたので。

困難な状況の時こそユーモアを

大きな影響を受けたファッションブランド「途中でやめる」のデザイナーの山下陽光さんという先輩がいるんです。10年ぐらい前に「0円ショップ」っていうのを主催して、物々交換みたいなことをやったり、『バイトやめる学校』っていう本を書いたりとか。その人の考え方が飛び抜けて面白い。今は福岡にいらっしゃるんですけど、東京に来る時にツイッターに必ず「東京のどこどこで飲んでます。来てください」みたいな投稿をして、それをキャッチした人がみんな行くんですよ。オンラインとオフラインの間を遊ぶみたいな。知っている人が行くときもあれば、山下さんをフォローしてて会いに来ましたみたいな人もいて。「場」を作る人だったので、バチバチに影響を受けていますね。自粛中に山下さんが「食べログで日本の歴史を学ぶってどうですか」ってツイッターに投稿していたんです。全然関係ないところから歴史って学べるか、みたいな。そんなこと考えたこともないから思わず笑っちゃいましたけど、この人はなんて物事を捉えるのがうまいんだと思いました。めちゃくちゃ探してみたら、食べ物から紐とける歴史は確かにありそうだなって。つまり、自粛で元気が出ない時でも、どうにかして遊べる方法があるんじゃないかっていうマインド。なんだか笑っちゃうようなことだけど、ハッとするような刺激を受けて「もうコロナなんてどうでもいいや」みたいな感覚になりましたね。「どうしても言いたいことがある」。そんなモヤモヤした鬱憤を晴らそうと思ってツイッターに投稿しようと思った時に山下さんのツイートを見て、笑って、なんかどうでもいいやって思っちゃったんです。ああ救われているなって、思いました。

社会が自分の働き方にフィットしてきた

敢えてこの状況のいい面を言うならば、家で仕事ができるスタイルがすごく助かるということ。どちらかというと引きこもっていたいタイプなんです。いままで現場に行くのが当たり前だったことが、Zoomでのリモートワークが選択肢として増えたことはありがたいです。いままでできなかったことができるようになってきたから、このインタビューの話をいただいたことも含めてありがたいなと感じています。これからポジティブにお受けする仕事の幅が増えそうですね。リモートの仕事が増えるなら、どんな仕事でもお受けしますというスタンスなので。例えば、渋谷の喫茶店で打ち合わせさせてくださいとか、今後お金になるかどうかわからないものに対して割とケチるタイプなんですよ。でも、こういうオンラインだったらすぐに寝られるし。選択肢の一つとして、こういうスタイルもありってことになれば、もっといろんな仕事に携わっていけるんじゃないかなと思っています。僕がいいと思っている方向に世の中の価値観が変わり始めているので、自分にフィットしてきたという意味でとても大きな変化があったのかもしれませんね。

世界が大きく変わらなくても、忘れずにいたい思い

これからの世の中はイメージとしてディストピア的なことを想像しがちですけど、個人的には意外とそうじゃないんじゃないかなと思っています。長くて一年、短くて半年。それでそこまで変わるかなとは思っています。これまで培った価値観が一年で劇的に変わるとは考えにくい。例え

ばフランスだって徐々にハグし出すだろうし、クラブもオープンすればすぐ密集状態になるだろうし。逆にそっちの方が、楽しいし贅沢だ、みたいな雰囲気になると思うから、人と人が距離感を持ってとかにはならないんじゃないかな。ライブやクラブに行ったり「人が集まっている方がやっぱり楽しいじゃん」っていう、結局はそういう変化になるんじゃないかと思っています。

今の僕のテンションでいえば、「あの時は最悪だったよね」ってちゃんと思っていたい。人はみんな「あのことがあったから今がある」みたいに過去を美化しやすい傾向にあると思うけど、今の政治に対しては「おや?」って思うことだってあるし、友達が借金したり先輩が会社潰れるかもと言っていたり、僕よりも重度の人たちがコロナのせいで十分な医療が受けられなかったりする。そういういろいろな事に対して簡単に「それがあっても今があるからよかった」みたいな言い方はしたくないですね。

とりあえず、終息したら人見知りで家に引きこもるのが大好きな僕だけど、ものすごく密集したお酒の席で、知らない人と乾杯したいです。知らない人と乾杯して、知らない人のお酒を飲むみたいな。それぐらいの付き合いをしてみたいです。他人の飲んだジュースを「一口飲む?」って言われただけで、「え?」って感じになってる。僕はそれぐっと飲みたい。潔癖すぎる今の状況は好きじゃないから。

1987年8月21日生まれ。愛媛県出身。先天性脳性麻痺で車椅子を使用。就職を機に上京して他業種での仕事を経験。その後、学生時代からファッションに興味を持っていたことをきっかけに、coconogaccoでファッションデザインを学ぶ。同じ頃より数多くのファッション関連イベントにも参加。2013年より原宿のファッションコワーキングスペースcoromozaに、立ち上げ時からスタッフとして勤務。テキスタイルプリンタや刺繍ミシン、レーザーカッターといった機材のオペレーションや現場での運営に携わる。これまで東京を拠点として数多くのコレクションショーや展示会へ出向き、ウェブサイトやフリーペーパーでその様子をレポートしてきた。2017年、ジャーナリストとして独自のメディアを立ち上げる。障害者、ファッションを軸にしたジャーナリスト、DJやモデルと幅広く活動する。

WEB SITE https://www.keitatokunaga.com

OUR ASSOCIATES

古民家で醸造したビールを通じて歴史ある小さな町「岡田」を
世界へ発信する地元ラバーなマイクロブリュワリー。
https://okdbrewing.theshop.jp/ | https://www.facebook.com/OKD.KOMINKA.BREWING/

7

アスリートの
新しい道を切り開く。
Jリーガー2・0。

プロサッカー選手

都倉 賢

サッカーができない現在、何ができるのか

今一番自分を表現できるのはJリーガーとしての活動です。4歳からサッカーを始めて、もう30年近くサッカーを続けています。プロになったのは2005年で、プロサッカー選手としては今年で16年目ですね。今所属しているのはセレッソ大阪です。コロナの流行が始まってすぐチーム内に陽性の選手が出ました。その時点で選手、スタッフ、すべて2週間の自宅待機。保健所の指示に従って生活しました。朝と昼の2回検温し、提出しなきゃいけない。2週間一歩も家を出ないで、買い物も宅配などを利用してました。それでチーム関係者みんなが最初から危機感を持てたので、みんな不要不急の外出はせずに過ごしていました。トレーニングはZoomを使ってそれぞれの自宅で画面を見ながらトレーニングというのを1ヶ月弱続けてましたね。このインタビューを読んでいただける時期くらいになれば、グランドで小さなグループに分けた練習を始められそうな感じです。

僕の場合、失敗したり大きな不安を抱えたりストレスに直面した時、いつも試行錯誤しながら打開策を考えて成長してきたんです。そもそも人間は、精神的にも物理的にも制限されたら、絶対に「何かしなきゃ」と思うはずなんです。そういう意味では、昨年の大きな怪我とリハビリ期間で、今回のコロナで自分が置かれた状況を擬似的に体験したというか、想像できていたのはラッキーでした。実は以前から「サッカー選手だからプレーしてればいい」という時代は終わったということを薄々感じていました。それでも、怪我するまではずっとプレーできてたし、何か行動を起こすタイミングがなかった。サッカーしていれば自分の価値を最大限発揮できて、お金にも直結していたから。けど、怪我もそうですが、コロナをきっかけに「僕はサッカーができ

なかったら、いったい何が残るんだろう」って強く考えるようになりました。

大きく変わっていく価値観

最近、Zoomでの取材が増えました。コロナが流行する前だったら「Zoomでお願いします」と言われたら、「ちょっと失礼じゃない？」って思っていたかもしれないですが、やってみたらすごく楽だし、わざわざ記者の方に足を運んでもらう時間を考えると、わざわざどこかに集まる必要ないなって思うようになりましたね。移動なんかで無駄な労力を払わずに、価値のあるコンテンツを届けられるってことを実感できた。だから今、取材がめちゃくちゃ多い。みんなの価値観が変わったんですね。こうなったらやったもん勝ちってところもありますよね、ＳＮＳが普及したのと同じように。

自分の行動次第で誰かに感染する危険性がある。いままでは、自分の行動が直接的に誰かに大きく影響するってことは考えたことがなかったけれど、コロナで、そういうことがクリアに見えるようになった。その中で、自分にとってはどんな時も「家族が幸せに生きる」ってことが一番大事なんだなってことを再確認しました。家族さえ生きててくれたら、外なんか一歩も出なくていいと思いました。そんな風に、世界で価値観が大きく変わると思います。お金を儲けることも大事ですけれど、多くの人が、結局一番大事なのは家族だったり、大切にしてる人だって思ったはずなんです。だとしたらこの時間を共有した人たちが作る新しい世界は、すごく楽しいはずですね。

自粛期間でも試合に備えて

ＤＩＹしまくってベランダがウッドデッキになったりとか、家はあちこち快適になりました。料理もするようになりましたし、状況が変われば人間って簡単に変化するんですね。トレーニングも、家の中でも思った以上に追い込めるものなんです。ボール扱いとかチーム戦術とかじゃない部分で。家の中のサーキットトレーニングだと回数じゃなく、時間で縛るんで。30秒腕立てしっぱなしとか。効率よく短時間で、10分くらいでへとへとになるんですね。そういう方法があるんだっていうのは気付きでした。もちろんそれだけではトップパフォーマンスにはならないんけど、ある程度体のコンディションが保てました。

これからがスポーツでみんなを鼓舞する時

流行の初期には「自分の行動次第で誰かの命が危なくなる」みたいな言葉がすごく胸に刺さりました。チームメイトに陽性反応が出ていたし、心から〝stay home〟しなきゃって思っていました。でも一定期間経って少しずつ状況が見えてくると、このままじゃ経済的に死んでしまう方たちがいるってことも理解できるようになって、この状況とも折り合いをつけなきゃいけないんだって思うようになりました。折り合いをつけて、管理をしっかりしながら、どう行動していくべきなのかって。スポーツとかエンターテインメントは、世の中にエネルギーを与えられると思っているんです。だから、コロナと折り合いをつけながら自分たちの活動を通して、少しでも社会にポジティブなエネルギーを届けられたらいいなって思っています。

アスリートとしてのこれからを見据えて

人との繋がりで大事なことが、「愛」とかそういう本質的でプリミティブなものになっていくでしょうね。それと、一つの業種だけで生きることがリスクであることも誰もが理解しましたよね。僕自身もサッカーだけをしていても先がないというか、サッカーできない時にどう価値を創造できるかを考えました。夢を追って一つのことをやり続けるっていうストーリーは応援されるだろうし、僕たちがそういう象徴であることは素晴らしいと思う。けど実際はめちゃめちゃ不安定だったりするから。だったらもっとほかのことも含めて、どうやって自分の価値を構築していくかが大事ですよね。

この前オンラインで講師をさせていただいたんです。60分だったし、金額自体は５０００円くらいですけど、それでもサッカー以外でキャッシュポイントを作れたことに手応えを感じました。サッカー選手以外の僕の価値が世の中にリリースされて、世の中にそういうニーズがあるんだっていうのを把握できたことがすごい嬉しかった。だから一つの会社だけで働くとか、そういう時代は終わっていくだろうし、逆に言えば「この仕事本当はいらないじゃん」ってこともどんどん増えていくんじゃないでしょうか。コロナが起きたことで、オンラインで価値が届けやすい状況になったし、トライしやすくなった。受け皿が整ったのかもしれない。とにかく価値を届けることが大事ですよね。１００点じゃなく70点くらいの精度でも、「届く」ことに意味があるんじゃないかと。だからチームに所属しながらも、どうほかに自分の価値を作るかってことを常に考えながらやっていきたいですし、これからそういうアスリートが増えると思います。

今回サッカー選手としての価値を強く自問したのは、具体的な「危機感」があったから。コロナによって、もし世界が経済的に厳しくなったら健康な状態でもサッカーができないかもしれないっていう新たな不安が広がったんです。そういう予期せぬことで、簡単に不具合は起こり得るんだなって。〝都倉賢〟の価値を最も発揮できる装置がサッカーとはいえ、もし不具合や故障があった場合、とたんに自分の価値を伝えることができなくなってしまう。だからもっとほかの選択肢や肩書きを持つこととか、掛け算的にできることとかを考えなきゃいけないなって思っています。一つの装置だけに依存することはリスクがありすぎるんです。

自分を実験台に道を作る

具体的に何をすればいいかわからなかったけれど、〝都倉賢〟っていうパーソナリティーは絶対に活かしたいというのは常に思っています。いろんな経験や出会いがあって、少しずつ形にはなってきました。でもそれがマネタイズできているわけじゃないので、現役中にそういう「柱」をたくさん作りたい。サッカー選手以外で、より具体的なキャッシュポイントを考える。これからのアスリートに、そういう道があるってことを伝えたいんです。本田圭佑とかダルビッシュのようなスーパーな実績があれば、その業界で一生食べていける。それは彼らが努力をして才能を発揮した結果なので、彼らのために与えられたギフトです。でもほとんどのアスリートは彼らのようにはいかない。じゃあ、そこじゃない「別の畑」でどう自分の価値を見出せるかを考えるべきだと思うんです。違う業界なら異端児にだってなれるわけだし。僕はそんなこと全然考えずワイナリーを始めたんですけど、サッカー選手がワインを始めただけでそういう見方をされたことはラッキーだったなって思うんです。「ワイン飲みたいな、やったらかっこいいな」って始めたことなのに、本格的にやってるんだと感じてもらえる。そのことで農業そのものが見直される一面もあったと思うし、「大義」を作りやすいんです。

サッカーでは、究極一生現役でできるって仮説を持っています。例えばチームからお金ももらわなくても。自分でスポンサーを探してきて、お金はチームに入れてプレーする、みたいなことも目指しています。クラウドファンディングなんかで応援されながらプレーするとかね。「共感Jリーガー」みたいな。そういう選手が増えてくると思うんです、必ずしもたくさんのファンに知られていなくても、すごく濃い熱狂的な100人のファンが集められる人、みたいなね。Jリーグクラブの支出の6割が人件費って言われているんですが、そうやっていろんなタイプのJリーガーが増えて、クラブにとって経済的な負担がないなら選手としては扱いやすい選手になりますしね。自分のマインドが続く限りはずっとサッカーはやりたいと思ってる。だから単に経済的な理由だけで辞めることだけはしたくないなって決めています。

アスリートって「本業だけに集中するべき」みたいな批判を受けやすい。でも、そもそも選手になるまでにめちゃくちゃいろいろトライしてようやくサッカー選手になったのに、それ以外のことにトライするのはよくないって考えはよくわからない。チャンスがあれば、いつでもトライし続ける人生に価値があると思っているんです。アスリートの生き方にもいろんな種類があっていいはずなんです。マイナースポーツの選手も、「お金ないから辞めなきゃ」っていう選択がもったいなさすぎますよね。小さい頃から努力してきたのに、経済的な理由だけでほかの職に就かなきゃならないとか。社会的にはお金を払う価値がないと思われている状況でも、再現性があるやり方を模索したいんです。本田圭佑やダルビッシュが言っても、それは彼らだからできるじゃんってなっちゃうと、やる気が失せちゃう人もいると思うんです。でも僕がそういうアスリートの民意を代表してあれこれトライしてみることで、できるかも、ってなるかもしれない。僕を実験台に色々チャレンジしてもらいたいです。「都倉でやってみよう」みたいな。

新しいスタイル「Jリーガー2・0」を目指して

僕は「Jリーガー2・0」って言い方をしてるんです。芸人さんに2・0はいるけど、アスリートで2・0をつけている人はいないし、言ったもの勝ちかなって。もちろんそれはゴールではないので、現役中に問い続けて、2・5、3・0ってどんどん進化していくと思います。今は「Jリーガー2・0」の価値観ですね。

　数年後には「あの時があったから今の自分があるんだ」って言ってると思います。この状況は、未来の自分に価値に必ず繋がっていく。いままでの自分の人生を振り返ってみると、大きな壁にぶつかった時こそ、必ず成長してきたんです。だから、去年の怪我とコロナという巨大な壁にぶつかった今、絶対自分が大きく成長するチャンスなんだろうって考えています。

2005年慶應大学在籍中に川崎フロンターレでキャリアスタート。ザスパ草津（現ザスパクサツ群馬）、ヴィッセル神戸、北海道コンサドーレ札幌と移籍し、現在はセレッソ大阪でFWとしてプレーしている。Jリーガーがセカンドキャリアに向けてや、サッカー選手がサッカー以外の事をした時に「本業に集中しろ!!!」と言われる事に常に違和感を感じながら挑戦する日々。2018年に北海道の仁木町に『都倉ワイナリー』を設立。昨年チャレンジしたワインのクラウドファンディングでは600万円近くの支援を受ける。サッカー以外の様々な挑戦をする事で結果的にサッカーのパフォーマンスが上がる事を証明しながら、最年長日本代表初招集を目指す。WEB SITE https://ameblo.jp/kentokura0616/ | INSTAGRAM https://www.instagram.com/tokuraken

8

夢は世界一周。
ポジティブに
自分の道を邁進中!

ノマドワーカー

中村安衣

世界一周を目指して、自分のスキルを磨く

コロナウイルスが流行する直前まで広告代理店に勤務していましたが、海外で働くことが決まって退職しました。準備を進めていたところでこの状況になって、海外での仕事はなくなってしまいました。こんな状況になるとは思っていなかったけど、焦っても状況は改善しないし、新しい環境にどう適応していくか、いままで自分が経験してきたことや持ち合わせているスキルの中で何ができるかを考えて行動しています。以前から「移動してもできる仕事」をしたいと思っていたからプログラミングとかWEBデザインの勉強を始めていたんです。今はその学びも活かしつつ、WEBマーケターとして広告の企画制作やメディアの編集・ディレクションをしています。もちろん渡航解禁になったらすぐ海外に行こうかなと思っています。ただ、行く予定だったオーストラリアの会社はロケコーディネートの案件などが主だったので、正直今行っても私がやりたかった仕事がほとんどない状態。私には海外で働くことの「裏テーマ」があって、ずっと世界一周をするつもりだったんです。いろんなタイミングや雑念とかもあってずっと先延ばしにしていましたが、いよいよこういう状況になって、自分がどこにいても仕事ができる状態にして、タイミングを見て世界一周に行こうと思っています。何歳になっても挑戦はできるけど、自分の年齢や女性としてのライフスタイルを考えたら、時間は限られている。それで、後悔する前に世界一周をしたいんです。だから、渡航解禁になるまでに自分の身一つでできる仕事を身につけて、いつでも自由に動けるようにしたかった。

歴史を振り返って冷静になれた

コロナが流行り始めてから一回も悲観的になってないです。ずっと楽観的なんです。もちろん軽視するわけではな

いけど、この状況が続くわけはないし、今と同じように疫病が流行した世界的な困難っていうのは歴史の中で何回もあったわけじゃないですか。人類はその度に難局を乗り越えてきているわけです。こういう時、歴史を振り返ると安心できるものなんですよね。しかも過去を振り返ると、こういうタイミングが、その後世界が大きく変わる契機になっていることが多い。いろんな技術が昔より発達していて、進化のスピードは圧倒的に早くなっています。数ヶ月先ではないかもしれないし、コロナが完全に終息することはないと思うけど、今この瞬間にも世界中の天才がワクチンの開発に勤しんでるわけで。だから人類がウイルスに勝てないわけないでしょ、みたいな。完全に収束しなかったとしても、環境に合わせて新しいライフスタイルとか理念が生まれてくるはずですしね。それなら目の前の自分の計画が狂ったとしても、新しい世界に適応するだけのこと。悲観的にならずに、その時に自分のできること、やりたいことを探せばいいだけだなと思います。

改めて気付かされた人と触れる価値

　自粛期間を経て、やっぱり人と関わって生きていきたいなと思いました。私はアクティブで、外に出るのがとにかく好きなんです。リモートワークできる仕事に切り替えると自分で決めたけれど、毎日オフィスに行って、みんなと仕事したり、提案前に深夜まで残業するような状況も、実は楽しんでいたんだなって気付きました。「人と関わる」ということに支えられていたんですね。ＳＮＳとかで会話してる気になっているけれど、実は一言も言葉を発しなかった日もあるので。コロナ禍で距離や場所の垣根がなくなって、いろんな障壁が減って選択肢が増えているけど、リアルな場の価値、みたいなものはいままで以上に見直されるような気がします。顔と顔を合わせて同じ空間を共有するということに、大きな価値があったんだなと気付かされました。

　自分に向き合う時間が増えて「一番したいことって何だったっけ？」「やっておけばよかったって後悔しそうなことって何かな？」って考えました。何より「私はどういう人と一緒に、この先の人生を歩みたいだろう」と。友達や恋人、家族もそうです。そうやってちゃんと「自分の幸せ」について考えなきゃいけない時が来た感じがします。

チャレンジできる空気になった

　今回のことで、状況は予期せぬうちに一瞬で変わってしまうことが痛いほど理解できました。そうした変化を目の前にして継続することこそ素晴らしいとか、意志は曲げちゃだめだとか、変わろうとする人にネガティブな言葉を投げかける人が結構多かった。でもこういう時だからこそ、自分の気持ちが変化するのは当たり前だし、変わらないと新しい世界には適応できないと思います。だから「何かやりたい」って思った時には、「今はこういう状況だから」って先延ばしにしないで積極的にチャレンジした方がいいと思うし、みんなが「変わってもいいんだ」って考え方にシフトしたらいいですよね。私自身、この世界の状況の変化のタイミングに救われました。こんなに短い期間で仕事を辞めてもいいのかなって迷いがあって。でも今回のことで、「やりたいことはすぐに着手しなくちゃいけなかったんだ」って思えたから。いろんな人が新しいことに挑戦できるタイミングだと思うんです。誰もが新しいライフスタイルを模索しなければいけない状況で、みんながチャレンジするきっかけになったのかもしれないですね。

いつでも動ける身軽な環境を

「やりたい、行きたい」と思った時にすぐできる状況を作っておきたいから、とにかく今後の海外生活で活かせそうなことを勉強中です。それと、身軽でいた方がいいなと思うようになって、いろんなものへの執着を捨てるようになりました。肩書も、物も、「こうあるべき」みたいな執着も。長期的な目標を立てて向かって行くことも大事ですが、「この先何が起こるかわからないから、いつでも変化の準備をしておこう」みたいな。

今回のことで、世界で起こっている問題って全部「自分たちの問題」なんだってことがよくわかった。私たちより下の世代は、日本の中だけでは完結できない時代になると思うんです。「日本の東京で生きてる」んじゃなくて、「世界の中の東京で生きてる」っていう考え方が広がったらいいなと思っています。「遠くの国でこんなことが起こってるらしい」じゃなくて、「今こういうこと起こっていたら、その後日本にどういう影響が来るだろう」って考えられる人が増えるといいなと思います。このコロナ禍で一番感じたことは「いつでもできると思っていることは、いつでもできないんだよ」ってこと。ありきたりな言葉ですけど。今毎日行ってる場所や会ってる人も当たり前じゃないし、いつかやろうと思っていることだって、その「いつか」はもう来ないかもしれない。だったら、今すぐやった方が絶対いいと思うんです。

国内の移動が解禁されたら、先に日本一周しようかなと思っています。海外生活の検証的な感じで、本当に自分にノマドができるのか、みたいなことを試してみたいです。とりあえず世界に飛び立つ前に、会いたい人全員に会って、「行ってきます」って挨拶しに行くつもりです。

瀬戸内海の島在住。海外に行くために、東京で勤めていた広告代理店を退職。その後、コロナウイルスの影響で渡航を一時中断。現在はフリーランスのWEBマーケターとして広告の企画制作やメディアの編集・ディレクションを行っている。旅の情報発信に備えて、WEB制作・デザイン・動画編集も勉強中。いわゆる「ノマド生活」を目指している。

わざわざそこに集まる「意味」を作りたい。

流しのビリヤニ

奈良 岳

ビリヤニを通して場づくりを

僕は普段は会社員として働きながら、趣味でパキスタン料理「ビリヤニ」の炊き出し活動をしています。飲食店や音楽イベントに出店し、「流しのビリヤニ」としてビリヤニを振舞っています。1皿500円。自分が買いたい値段です。もともとビリヤニが好きだったから、自然に自分で作るようになったんです。

少し前まで、三軒茶屋にある古い一軒家を改修しながら友人5人とシェアしていました。「三茶ハウス」といって、いつでも人が出入りしているようなスペースだったんですが、そこで仲の良い友人にビリヤニを振舞っていました。みんな「美味しい」と言ってくれて、ある時「自分の経営してるバーでも出してよ」って感じで呼んでもらったんです。そんな感じで、ほかのお店やイベントにも呼んでもらえるようになりました。利益を出すというより、行く先での出会いや、その場の雰囲気を楽しんでいる感じ。もともと建築の勉強をしていたし、仕事でも建築の企画やイベントスペースの企画に関わってきたから、以前から「場づくり」に興味があったんです。自分でコンテンツを持つ、という体験もしてみたかったし。そんな感じで、自粛前は毎月2回くらいは活動をしていました。

開放的に空間を使える時代に

自粛になっても、僕は誰ともあんまり連絡を取ってないですね。もともとマメに連絡取るタイプじゃないので。オンライン飲み会とかもあんまり参加しようとも思わないし…。ずっとシェアハウスに住んでいて、去年の11月くらいから人生で初めて一人暮らしを始めたので、一人が楽しいんですね、多分(笑)。そんな感じで正直言うと、コロナショック的なものはあまりないんです。活動は止まってしまったけれど、また終わればいくつか予定があるし、またそこで続けていきたい。ただ、コロナが収束したら、社会的なシステムはいろいろと良くなって欲しいですね。(密を避けて)開放的に空間を使うっていうことが推奨されていくだろうから、どんどん「外」が使えるようになったら面白い。お店の窓が全部開いて、テーブルを出して食事できるとか。日本人は外のパブリックなスペースにアクセスすることに慣れていないですよね。例えば、自宅前の電柱のそばにプランターを置くだけで注意される、みたいに「個人が公共空間を使うのは悪だ」みたいな感覚があったと思うんです。特に邪魔になっているわけじゃないのに。今回のことで、その意識が大きく変わってきた人が多いと思います。使える場所が広がるってことは、人が集まったり、いろんなことができる可能性が広がるんじゃないかな。

いろいろな制限を、この制限の「せいで」って思う人と、この制限「だから」って捉える人の感覚は結構違うなって思いましたね。例えば「緊急事態宣言のせいで営業できない」店の人が、本当はコロナそのものが悪いってことを理解していたとしても、無意識に「国が責任を取るべきだ」と考える人と、自粛は必要な処置だからこの状況で「自分は何ができるだろう」と考える人とで、行動がはっきりと分かれた感じがしました。

甘いものって美味しい

今は料理をすることがすごく楽しい。好きな料理をルーティーン的に作っていて、今はバナナブレッド。本当はカヌレが好きなんだけど、作るのは難しいから。自粛になって気付いたんですが、甘いものって普段は意識的に摂取しようと思ってなくても、お店の食後のデザートで出てきたり自然に食べる機会があったけれど、今は自分が選択しなきゃ甘いものが用意されない。それで初めてコンビニで甘いカップケーキを買って、その時、「甘いものは美味しいな」とふと思ったんですよね。自粛生活の娯楽の大部分が「食」になっているから、コンビニとかじゃなく、自分で作ったバナナブレッドがあったら嬉しいなと。でも、バナナって育てなきゃいけないんです。熟さないと美味しくないから。タマゴ入れない方がいいとか、粉を混ぜる順番で生地は変わるとか、日々試行錯誤中ですね。この間まではバターを手に入れるのが大変だった。四つ葉バターがやっぱり美味しいんです。

窓全開で聴いた山下達郎

この自粛期間、インスタの「ブックカバーチャレンジ」はいい企画だと思いました。ほかの人が紹介していた本を何冊か買いましたよ。例えば、『んぐまーま』(谷川俊太郎著／大竹伸朗イラスト)っていう絵本とか『COZIKI』っていう壱岐限定で販売している漫画カルチャー雑誌とか。『COZIKI』は単純にコンテンツが好きなんですけど、島限定の雑誌とかってコスパも全然よくないのに、あえて今それを出すとこが面白くて好きですね。あとはラジオで流れてくる音楽をぼんやり聴いていることが多いですね。でも天気がよくていい風が吹いている日に、窓を全部開けて山下達郎の『FOR YOU』を爆音でかけました。「この曲聴きたいな」って思って聴いた唯一の曲かも。あの世界がいいですね…こういう時だからこそ。そうそう、原宿のレコード屋の店主が週一でラジオをネット配信してるんですが、そこで「コロナを利用してやる」と高らかに言ってたのが、どうしてかわからないけど心に残りました(笑)。

安定的な仕事があるから自由があることを実感

今、ビリヤニの活動は完全にストップしています。仕事は、館が営業していないので完全にオンライン販売に移行している状況です。今の自粛期間だからできる企画、オンラインで展開できる企画・その場所に行かなくても楽しめる企画を考えている感じです。「働き方」という話になると、サラリーマンかフリーランスか、って二項対立になりがちだけれど、僕の場合はやっぱり安定的な仕事を持っている方が、ビリヤニの炊き出しみたいな課外活動を自由にできる。盤石な軸足があるほうが、やりたいことがやりやすくなるんじゃないかなと、この状況になってみて強く感じました。

ただ、生活は大きく変わりましたが、僕自身の価値観はほとんど変わっていません。僕は7月が誕生日ですが、年を重ねるごとに「よかった」って感じるんです。去年とはできることや考え方も変わっているし、違う人間になってるんじゃないかって。そうやって少しでも変化できていることが嬉しい。環境の変化なんてそもそも当たり前のことだし、自分も常に変化しないとダメってことですよね。だから、こうして「変化せざるを得ない」状況になったことが、逆によかったなと思うこともあります。それに僕はいつも「楽しみなことを増やして生きていきたい」という考えだから、どんな環境だってポジティブに捉えたいんです。実は、今度自分のビリヤニのレシピをケータリングのチームが作って販売する予定なんです。自分のビリヤニの活動が初めて「仕事」になるかもしれないので、ワクワクしています。

集まる意味を提供していきたい

月並みだけど、「オンライン」の可能性が広がるのはいいことだと思います。需要が少なくなるものもたくさんあるでしょう。例えばリモートワークの考え方が進んで、オフィスがいらなくなったり、じゃあ不動産業はどうなるんだろうとか。住む場所の考え方も変わる。リモートなら職場から遠い場所にだって住むことができそうだし「場所に縛られる」って感覚が薄れそうですね。いつかずっと先には、自分が「どんな体験」をしたかというより、コロナの前後で「社会がどう変わったか」っていうことを話しているでしょうね。何をしたかじゃなくて、その状況から何を得たかということが大事だと思うんです。僕は「場を作る」「集まる」ということを仕事にしている人間として、集まることが難しいこの状況を経た新しい世界で「わざわざそこに集まる意味」を提供できたらいいなと思っています。

1991年生まれの29歳。建築企画系会社勤務を経て、イベントスペースの企画をする会社で平日は会社員として働きながら、ビリヤニの炊き出し活動を開始。小さい頃から叔母の配偶者のパキスタン人の作るビリヤニを食べて育ち、「家庭のビリヤニの味」を人々に届けるべく活動中。これまでに、「SHAKE HANDS」「SUNDAY DISCO SESSION」などの音楽イベントや新宿ゴールデン街の「The OPEN BOOK」といった催事や店舗を中心に出店。世間のスパイスマニアを虜にするその腕前は、まさに職人の域。ビリヤニを提供する場所は、Instagramで随時告知している。INSTAGRAM https://www.instagram.com/strolling_biryani

before daylight.

今いる場所から。

2020.5.8　217..NINA

私「このヤシの木のお皿買おうと思ってるんだけど、どう思う?」／夫「まじ?それ母の日のプレゼントで明日届くよ」コロナ中に起きたスーパーミラクル。

217..NINA／ドキュメンタリー、アートそしてファッションをごちゃ混ぜにしてジャンルにとらわれていない写心を撮り続けている。現在はロサンゼルスと東京をベースに活動中。

10

立ち止まって「これから先の自分」と向き合えた。

ヘアメイクアップアーティスト

奈良裕也

広く受け入れられるポピュラーな仕事を意識

SHIMAという美容室でサロンワーク・ヘアメイクを主にしています。美容関係のコンテストの審査員をやることもありますね。ほかにも、もともとファッションが好きだったこともあってモデルをしたり、DJや商品のプロデュースなどもさせてもらうこともあります。個人的にはエッジが効いたものが好きなので、僕の表現するものも流行に敏感な人に見て欲しいって気持ちはもちろんあります。だからどんな仕事でも突き詰めて取り組むけど、やっぱりマスに受けないとダメだなと思っているんです。どんなにエッジィな作品でも、売り上げが取れないなら何の意味もない。大勢の人がいいと思えるようなポピュラーなものを作る、ということをモットーにしていますね。

そういった意味ではSHIMAの広告は、その中間くらいを目指してるかな。ちょっと憧れの存在でありつつも、飛ばしすぎないようにコントロールしています。古い資生堂のCMなんかはめちゃくちゃかっこいいけど、その頃はそもそも情報が少なかったから素直に憧れられたんだと思う。今同じことをやっても「こんな髪型誰がする?」ってなっちゃう。時代の流れに合わせてクリエイティブも変えていかないといけないですよね。僕がずっとサロンに立ち続けているのも、サロンワークが好きってこともあるけど、街のリアルな声を聞けるからなんです。今の時代の女の子たちがどんなヘアを求めてるのか、彼女たちから直接聞くのはすごく大事なこと。ファッションも流行も、ストリートから生まれるものだと思っているから。サロンワークとヘアメイクの世界は、全然別物なんですよ。ヘアメイクの仕事をサロンワークに活かしたり、その逆だってできるしね。そもそもハサミ持っていないと腕が絶対鈍るから。職人はずっと道具を触っているべきなんだと思う。

自粛期間で新たなことにチャレンジ

この時期は、自分を見つめ直すのにすごくいいタイミングでした。久しぶりに休めたし、家でゆっくりする時間ができたしね。自分を見つめ直して、新しいことにトライしてみたいと思えるようにもなった。みんな、休みの日に無理に出かけなくたって楽しく過ごせるってことがわかったと思う。コロナの前は、原宿のサロンで仕事している時、行き交う人を「みんな何しに来てるんだろう」って思ってたくらい。人がいない街を見ると、そもそもこれくらいがちょうどいいんじゃないかなって思ったりもする。自粛で自分が本当にやりたいことはなんだろうって考える時間が取れたし、もしかしたら街にもそんなにすぐには人が増えないかもしれないね。

誰かと会わなきゃ会わないで、特に気になりませんでした。人って環境に慣れちゃえば、いろんなことが平気なんだなって。いままでは、なんとなく出かけることが多かったんですね。オンラインでのコミュニケーションに変わっても、それほど不便もなかったですね。でもZoom飲みは何が楽しいのかがあんまりわからないかも(笑)。だって、実際に会うから楽しいわけで、そこまでして飲むんだったら、一人でいた方が有意義だなと思う。そうそう、この年齢にして自炊を始めました(笑)。米の炊き方すら知らなかったんですけど、使っていなかった炊飯器を見つけて炊いてみた。カレーやパスタも作れるようになりましたね。料理は意外と楽しい。盛り付けする時なんか、ヘアメイクと同じ感覚で、色合いとか考えたり(笑)。全然人様に見せられるようなものじゃないけど、ちょっとお腹空いた時にサクッと作れるようになったのは良かったな。それと、雑誌のヘアメイク連載の企画を考えるために、古い映画を見てインスパイアされたりしてました。90年代のファッションショーを見ることもありました。すごく好きなんですよね、あの頃のシーンが。今とは規模が違うんだけど、シンディ・クロフォードとかクラウディア・シファーといったスーパーモデルが活躍してた時代の華やかでパワーがあるショーを見て、自分のヘアショーの参考にしたりね。あとは昔の漫画や本！　漫画って髪の色なんかがとにかくすごいんだよね。この感じ、ウィッグで作ったら面白そうだなとか。

決断力が問われたコロナ禍

SHIMAは1ヶ月休みだったし、ヘアメイクの仕事も結構キャンセルになった。仕事に対する姿勢を考え直すきっかけになりました。今年40歳なので、会社経営者の苦労を目の当たりにして、会社員である自分は彼らのように自立してやっていけるのかなと考えたりね。また次にこんな状況になった時に、毅然とした態度を取れるようにしなきゃなって。今回のことで、自分が経験していないことでも自分ごととして深刻に受け止められるようになったかもしれないです。2月に予定していたヘアショーを、かなり早めの段階で中止にしたんですが、即決することが何より大事だなって思った。こういう時こそあやふやにせず、バシッと決断を下すことが大事ですね。

お店は営業時間短縮のほか、入り口で除菌&手袋、マスクの着用をお願いして、体温を測ってから入店してもらうようにしています。予約数もセーブして、席も一席ずつ空けて感染拡大防止対策をしていますね。それと、アフターコロナのことを見据えて、バイタルマテリアルという企業とコラボレーションして歯ブラシと除菌ジェルを作りました。「#CONNECT TO THE FUTURE」という新型コロナウイルス感染予防のプロジェクトで、僕含め総勢22組くらいのブランドやアーティストとコラボレーションして商品を作り、販売益の一部が寄付されるという取り組みです。

みんながゆとりを持てる世界へ

ゆっくり休んだし、これからバリバリ仕事をしたいけど、以前のようにめまぐるしくて忙しい世の中に戻るのは嫌だな。日本人って昔に比べて働かなくなっているって言われてるけど、世界と比べたらまだまだ働き過ぎだと思う。僕自身、ずっとがむしゃらに走り続けてきたけどね。みんながもっとゆとりを持って過ごす方が、素敵な世界になると思うんです。この取材もリモートだし、アイデア次第でいろんなことが可能なんだってことに誰もが気付いたはずですよね。それを利益のために使って、さらにバリバリやる人もいると思うけど、個人的にはそういうのはもうやめようって思っちゃう。新しいお店がオープンしたらすぐチェックして行列に並んで、とかも嫌だな。忙しい時代の流れに合わせるんじゃなく、もっと自分自身に向き合って、余裕を持っている方が人として魅力的になれるよね。さぼるってことじゃなくてね。そうやって余裕ができれば、さらにクリエイティブなことも生まれやすくなるんじゃないかって思う。

トータルで考えてみたら、コロナの流行は自分にとってはそんなにダメージじゃなかったかもしれないな。「長いバケーション」って感じかな。40歳っていう節目の年齢で、「これから先の自分」を改めて考えることができた、いい時間になったと思っています。

1980年1月9日生まれ。埼玉県飯能市出身。国際文化理容美容専門学校卒業後、2000年にSHIMA入社。2003年にスタイリストデビューを果たし、2005年にはトップスタイリストとなる。2006年に原宿店のディレクター、2009年に原宿店アートディレクターに就任。現在はサロンワークを中心に、雑誌や広告などのヘアメイク、ヘアショー、講演会など、幅広く活動している。INSTAGRAM https://www.instagram.com/yuyanara

11

半分オンラインで半分身体性を伴う空間をどう作るか。

建築家（NO ARCHITECTS）
西山広志

暮らしに関するあらゆることに取り組む

夫婦2人で「NO ARCHITECTS」という建築事務所を運営しています。大阪市の此花区に事務所と自宅があり、生活も職場もある小さな地域の中で、様々な活動をしています。NO ARCHITECTSのNは西山でOは奥平。2人の事務所という意味で名付けました。最近は娘も産まれて、3人体制でやっています。「仕事」と「生活」をひと繋がりで捉えていて、「仕事の時は仕事モード」ではなく、家族で一緒に生活をしているときのような感覚で仕事もしたり。ある程度切り替えはしていますが、その境目を緩やかにして仕事しています。家の2階のクローゼットの奥にドアがあって、そこから一回外に出て踊り場みたいなところを抜けると10秒くらいで事務所に行ける。ちょっと外側で仕事して、またちょっと家に帰ってくる、というようなライフスタイルを意識的にしています。

去年11月にVerandaっていうカフェをオープンさせました。「自分のマンションの部屋を、ちょっとだけ街に開く」というのがコンセプト。ご近所さんだけで運営していて、曜日変わりで店長が入れ変わる。店長はみんな基本的に違う仕事をしていますが、副業的な感じで、地域活動に関わるようなことをしています。ここを拠点にしながら、街歩きの企画だったり、集まってミーティングしたりとか。「旭町チーズケーキ」っていう名物ケーキも作りました。今はコロナの影響で3月から休業中です。Verandaのオープンに合わせて此花区の地域情報をまとめたDaidokoroというWEBサイトも制作中です。「台所から街のことを考える」というコンセプトで、ここの焼き鳥屋さんが美味しくて、電話で注文したら焼いてくれるとか、あそこで展覧会やっているなど、地域情報のほか、部屋が一室空いてるから借りられるというような不動産情報とセットにした情報を発信していく予定です。サイトは完成間近ですが、この状況なのでこちらも止まっています。自分たちが住んでいる地域なので、生活を楽しくするためにイベントをしたり、場を作ったり、WEBを作ったり、暮らしに直結するようなあらゆることをプロジェクト化していく。地域活動的な取り組みが多いですが、もう少し商業的な仕事や、アパレルショップの設計などもしています。

ゴールのある目標の立て方を心掛けた

日頃から「ポジティブに考える」ことを心掛けているから、自粛期間中もネガティブなモードにはなってません。緊急事態宣言が発令された時は、「どういう時間にしようかな」ってポジティブに考え始めましたね。いつも「どういうふうに生活すべきだろう」ということを考えながら柔軟に暮らしてきたので、すでに新しいライフスタイルに切り替わっていますね。「家にいないといけない」というのは、大人はなんとか辛抱できるけど、子供にとっては難しい。身体の動きを伴うストレス発散が必要になるので。「子供との時間が増えました」みたいな方も多いと思うのですが、僕らは普段から子供と一緒に仕事しているので、事務所に子供がいるっていうのが普通、いままで通りなんです。

とはいえ外に出られず、家にいる時間も長いので、始めたことが2つほどあります。一つは、マインクラフトというゲーム。家を建てて街を作って、街と街をトロッコで繋ぐというのを家族3人でオンライン上でやるんですけど、そのゲームの世界を、自分のアバターでブワーッと走り抜けられるんです。「身体性をオンライン上に置き換えられるか」みたいな挑戦をゲームを通してやってみようと思ったんです。Zoomでミーティングするのも似ていますが、これからは「身体性をオンライン上でどうやって獲得していくか」というような感性が重要になっていくかもしれないですね。

もう一つが自転車に乗ること。娘の5歳の誕生日を前倒しにして、自転車を買って、自粛期間中に練習することにしました。最近乗れるようになって、一つ目標が達成されたんです。コロナ禍は、明日から大丈夫っていうゴールがないですよね。そこで「自転車に乗れるようになる」っていうストーリーを作って、実際に乗って、走れたという経験を一緒にしていきたいなと思ったんです。そういう目標の立て方は、緊急事態宣言が発令されてすぐに始めました。みんなでやることより、自分と向き合うこと、そういう活動を選びました。

新しい他者との感覚

僕は家族のために生きているって思っています。もう少し俯瞰的な目線で見ると、自分の行動や存在が他者と直結している感覚が増していると思うんです。例えば、街を歩くことでも、今は誰もが他者に意識を向けながら歩いている。「誰のために自分が生きているか」ということと「自分が街の中にいる」ということ。その2つと「街の中にいる他者」が直結してる感覚を持てている。いままではそういう感覚って、意外と気付きにくかった。自分は自分、他人は他人、みたいな感じで生きていた。それが、自分の命と人の命が重なり合って同じ空間に漂っている状態が、新しい感覚として再認識されているのかなって。

自粛期間中に、音楽家の蓮沼執太さんがYouTubeに期間限定でライブの映像を無料公開していたんです。それがたまたま僕が行っていた大阪の味園ユニバースでの公演で、自分がめちゃめちゃ写り込んでいたんです。画面の中で僕が、人が密集しているところで音楽を聴いている。それを見て、その時聴いていた感覚と、こうして見た時の状況は、変わってきているなって感じました。YouTube上でのライブっていうのは、時間とか場所性は伴ってなくていままでのライブ体験とは違うけれど、みんなで同時刻に同じ音楽を聴くとか、みんなが今聴いているってことは確かで、たくさんの人たちが同じ感覚を共有できる状態を作っているのは、素晴らしいと思いましたね。

僕は本が好きで、事務所も本だらけです。読んだ本にもすごく影響を受けているんです。最近読み直した本は、人類学者の中沢新一さんの『森のバロック』。大学院の時に読んだ本で、キャンパス内の雑木林にツリーハウスを作るというプロジェクトをしていた時に森と人の関係性みたいなものを探る時期があって、それを今もう一度読み直したくなったんです。自分と他者との関係性について考え直す時期だと思ったので。

生物学者の福岡伸一さんがあるコラム記事で、「ウイルスを受け入れ、共に生きていく」という言い方をしていて、コロナとどう共生していくか、という感覚が大事だって再確認できました。他者とどう自分がうまく共生できるか、どんな状況に置かれてもいかに共生できるかというように、「共生」は我々の活動の重大なテーマだと思うんです。コロナという感染症に対してもどう共生して自分たちが生きていけるかっていう考え方と、福岡先生の言葉がピタッとはまりました。なんせ常に状況をポジティブに捉えるように心掛けているので、ずっとコロナはあり続けるかもしれないけど、その中でどういうふうに生きていこうという気持ちの切り替えができたのは幸せでしたね。

空間意識の変化

オンラインで色々なプロジェクトが進行中で、「半分オンライン化しているけど半分身体性を伴っている」みたいな状態をどう考えるかってことが大事ですよね。僕らは作る側の人間なので、いつも「空間をどう作るか」をイメージしていますが、オンラインでいいかもってことは当然いろいろあるでしょうし、仕事内容によっては絶対フィジカルを伴わないといけないこともある。

場所や空間は共有していないけど、オンライン上では繋がっているとか。リモートワークで自宅を職場として使っている人が多いですけど、その場所性っていままでの感覚とは違っている。家の中に社会と繋がる場所があるって、いままであまり持ててなかった感覚で、新たに生まれた空間だと思うんです。そういう「間」みたいなものをどう捉えてどんな風に作っていくかとか。それならハードでもソフトでも、もうちょっとこんなことできるんじゃないかとか。すでにそういう新しい感性が、空間の意識の中に生まれている。そうやってもともとあった価値が劇的に変化することがたくさん起きてくるはずなので、それらを発見して、どんどんアウトプットしていこうと考えています。

ポジティブに語るのが大人の責任

普通に考えたらこの状況はネガティブだと思うし、だからこそ数年後には僕らが「切り替えた瞬間」を、いかにポジティブな体験として語れるかが重要ですよね。「自転車に乗れるようになる」と「マインクラフトで街を作り続ける」。そのことはこの期間がなければやってないはずのことで、それこそが「コロナの体験だったんだ」と子供には伝えたい。まだ4歳なのでわかりやすい体験を作っておけば、絶対覚えてると思う。初めて自転車に乗れた時の感覚とコロナの体験とセットにして、ポジティブなイメージを与えられたらいいですよね。入園式がなくなったりとか、近所の子にも会えないとか、ネガティブな側面を語ろうと思えばいくらでもできるけど、それをどうやってポジティブな体験として語って、体感として体験させるか、ということは周りの大人の責任だと思うし、僕はかなり意識的にそういうことをやってきたつもりだから。

2009年神戸芸術工科大学大学院を修了。2011年大阪市此花区へ事務所移転に伴いNO ARCHITECTS設立。現在は、建築をベースに、設計やデザイン、ワークショップ、まちづくりなど活動は多岐にわたる。また、音楽家や美術家、劇作家などとのコラボレーションや展覧会の企画など領域をまたいだ活動も行っている。WEB SITE http://noarchitects.jp

OUR ASSOCIATES

TOWER
RECORDS

NO MUSIC, NO LIFE. | tower.jp

12

改めて感じた
感謝の気持ちを
たくさんの人に届けたい。

ホサナカフェ オーナー

波戸場ハンナ

何事にもタイミングがある

吉祥寺で「ホサナカフェ」というカフェを経営しています。2016年にオープンして、5年目に入りました。吉祥寺の駅から離れていてアクセスしやすい場所ではないのですが、近所の方はもちろん「わざわざこの場所まで足を運んでくれる人」のためのお店にしたいなと思って、あえて今の場所にオープンしたんです。自分の家のリビングに遊びに来てもらうようなお店にしたかったから、接客マニュアルも特にないし、ちょっと会いに来てもらうような感覚で営業していたら、いつの間にか4年経っていましたね。

今の期間は私ひとりで切り盛りしてますが、実はカフェを開くというのは母の夢でもあったので、普段は母も手伝ってくれています。

私も40日くらい自粛していたのですが、その期間は誰とも会えず、不安な日々が続きました。でも、家族や友人もみんな自粛でそれぞれ自分の家にいたので、よくテレビ電話で話していました。電話って相手の時間を奪うような感じがしてしまって、いままではそんなに得意じゃなかった。けど、こういう状況だったからなのか、普段あまりしないような深い話なんかもできたりして、いつもと違った状況の中にも楽しみを見つけることができました。お店のことも、希望を持っています。実は以前からクラウドファンディングで資金を募ってキッチンカーをやろうと思っていたんですが、コロナ禍が起きたことで一旦止まってしまっていたんです。それがコロナの影響で逆にキッチンカーが注目され始め、助成金などが貰えるようになったんですね。マイナスに思えたことも、それがきっかけで以前よりも良い形で動き始めました。何事にもタイミングがあると思っていて、たとえ自分が思い描いていた通りにならなかったとしても「今はその時じゃないんだな」って思うようにしているんです。いつかまた次のタイミングが訪れるかもしれないし、その道は自分の進むべき道じゃないのかもしれない。その時は忍耐をもって学ぶ時間、準備期間だと思って、思い通りにいかなくてもヘコむことはないんですよ。だから今は、ピンチをチャンスに変えるような気持ちでいます。

改めて感じた感謝の気持ち

キッチンカーの件もそうですが、今回のことでだいぶ「お金」について考えるようになりました。私はお店を経営しているのにも関わらずどんぶり勘定で(笑)。よく何年もお店を続けていられるなっていうくらい、お金のやりくりが苦手なんです。でも、こんな状況になったら助成金とか「お金」に関わることをちゃんと調べなければいけないし、ちょうど確定申告の時期も重なって、いままでにないほど真面目にお金について勉強しました。

恥ずかしながら、改めてお金の使い方と向き合っていままでのやり方を見直す機会にもなりました。自粛があけて、多くの方が来てくださって、励ましの声をかけてくださったり、レジ横のチップ缶にお釣りをポンっと入れてくださったり、楽しくお話ししながら、みなさんの笑顔や優しさに触れることで、初心を取り戻すきっかけにもなりました。お店を続けていく過程で、小さな不満や喜べないこともあったりして。でもこうしてお店を続けられることや、お客さんが来てくださることは、最高に感謝なことなんだなって感じています。ゼロからのスタートみたいな気持ちで、お店の運営はもちろん、生きることそのものにていねいになりました。もっと一日一日を大切にしようって。

人のためにできることをしたい

私は小さい頃から「人の役に立つこと」「人が喜んでくれること」に喜びを感じます。クリスチャンで日曜日は教会に行くのですが、自粛中は教会に集まれなかったので、ふと頭に思い浮かんだ方々にリラックスできるハーブティーと一緒にお手紙を贈ったんです。みんな、とても喜んでくれて私まで嬉しくなりました。相手が笑顔になることが、自分の力にもなるんです。お店をやっている理由も、いろんな人を元気付けたいという部分が大きいので、私はやっぱり人のために生きたいと改めて感じました。

アフターコロナで、世界はがらりと変わるでしょうね。良くも悪くも「元」には戻らない気がしています。誰もが自分と向き合う時間があったと思うから、それをプラスに変えていける人が多いことを祈っています。リモートが推進されると、働き方も変わっていくでしょう。印象的だったのが、「今まで体が不自由な方たちはリモートワークの普及などについて訴えてきたけど、社会全体では少数の声だったから変わらなかった。でも、みんながリモートワークをせざるを得ない環境になって、経験をした人数が増えた瞬間に社会の意見が変わった」というような趣旨の記事です。たしかに今回のことを通して、今まで気づけなかった不自由さを感じた人がたくさんいると思うんです。私たちみんながそうした経験を忘れることなく、自分とは違う立場の人を受け入れ、思いやりを持って寄り添い、必要な考え方やテクノロジーが平等に受けられる、より良い愛のある社会になるように行動したいと思います。場所によって差はあるけれど、地球規模というスケールで誰もが同じ脅威にさらされたので、人間が一つになれた時期だったのではないでしょうか。

元気を届けにみんなのもとへ

これから、まずはキッチンカーをスタートさせます。「店の外に出て行ってみたい」という気持ちは以前から持っていましたが、コロナで人に会う機会が少なくなってそれがさらに強くなりました。「会えるうちに会いたい人に会っておく」とか「気になった瞬間に連絡する」とかね。もともとフットワークは軽い方ですが、よりスピーディーに思い立ったら行動しようと思っています。どんどん外に出て行って、私がもらった元気をたくさんの人たちにばらまいて、笑顔になってもらえたら嬉しいです。そうやって誰かのために、悔いのないよう生きていきたい。

吉祥寺から歩いて20分ほどの場所にある「ホサナカフェ」のオーナー。喧騒を離れた居心地のいい雰囲気と天真爛漫な彼女のキャラクターが地元民に愛されている。 INSTAGRAM https://www.instagram.com/hosanna_cafe

13

着飾るよりも、
心の中の豊かさを。

モデル・女優

林田岬優

自分じゃなきゃできないこと

ファッションモデルをしながら、お芝居の仕事もさせていただいています。コロナ禍で撮影はほとんどなくなりました。一度呼ばれたオーディションも、審査員が全員マスクをしていたし、私だけがマスクをしない状態で受けました。本当に最小の人数で、いつもと雰囲気は全然違っていて。

この状況で大変な思いをしている人たちのために、エンターテインメント業界のような表舞台で活動する自分ができることって何だろうって考えるようになりました。以前はファッションのお仕事や自身のInstagramで、自分の感性を活かしてどう表現するかを考えるのが自分のやるべきことだと思っていましたし、女優の仕事も「自分のためにしている」と感じる部分が多かったんです。もちろんずっといろいろな想いを持って仕事と向き合ってきたけれど、一つひとつの仕事を「誰かを想って」取り組むべきかもしれないと、強く思うようになりました。自分の活動を通して、どこかの誰かの「心を揺らす何か」を届けられたら嬉しいなって。

いろんなファッション誌で仕事をさせていただく中で、自分とは違う体型やきれいな顔のモデルさんたちを見て、

「自分がこの場所で苦しくならずに、自分らしく輝くためにはどうしたらいいか」といつも考えてきました。そうやって試行錯誤しながら最終的に感じたのは、「美しさの価値観は、人の数だけあっていい」ってこと。一つの価値観だけに囚われて「これだけが美しい」とか「正解はこれだけ」っていう画一的な生き方をするのはまったく意味がないし、一番自分が腑に落ちた考え方なんです。だから私も仕事を通して「自分だけの美しさの定義」を持つことの素晴らしさを伝えたいと思っています。

自分と向かい合う期間

自粛期間は、ポジティブに過ごしていました。特にこのタイミングで絵を描き始めたことは、自分にとって大きなきっかけになりました。モデルや女優以外の、まったく違った形で表現できる喜びを噛みしめています。それと、普段は例えば3日連続休みだとしてもなかなか休んだ気になれなかったんです。どうしても頭がクリーンにならないというか。でも、ゆっくりと自分のための時間が取れたこの自粛期間は「生きてく上で自分が心から求めてるものは何だろう」って考えるきっかけになりましたね。いらないものを排除していくイメージ。こうして自分自身にフォーカスすることができたら、ほかの誰かと比べることなんてしないで、みんながシンプルに「自分軸の幸せ」に向かっていけるんじゃないかなって思いました。

制限の中で生まれた気づき

いろいろ制限があったけれど、そんな風に制限があるほど、自由が生まれるんじゃないかって思います。制限が大きくなれば人や状況には頼りづらくなるし、自分しか残らない。その中で何をやるのか、何をやれるのか。自分の想像力が試されている感じです。この間は一人でゴキブリ退治できました(笑)。それと、例えば宅配の業者の方など、普段は気づかずにいたいろんな人やサービスに、心から感謝できるようになりました。

親友とは、ほぼ毎日連絡を取っていました。中学校からの友達で、在宅勤務中のOLです。おはよう、おやすみの挨拶は欠かさずに、「今日はキッチンを掃除したよ」とか。「まるで彼氏じゃん」って、お互い笑っちゃうほどマメに連絡を取っていました。それと喧嘩をしていた母親とは、コロナをきっかけに仲直りできました。

絵を描くことで、改めて自分を見つめ直せました。女優でも、モデルでも、それ以外の活動でも。「何かを伝え続けられる人」でありたいと強く思ったんです。だから今は、自分の活動を見ていただいているすべての人たちのために生きているって感じています。自粛期間中に言われた「大変な状況に置かれた時のことを、いつでもちゃんとイメージしておかなきゃいけない」という言葉が心に残っています。「他人の立場になって考える」という当たり前だけど難しいことを、これから自分のやりたいことを通してどうやって伝えるべきか考えるきっかけになりました。

花や動物、あとは月とか。あらゆる自然のものを感じられることがすごく嬉しかった。そういう美しさを感じられなければ、絵も描けないでしょうし。一人だけでどうこうできる問題じゃないけど、環境を守っていくことってすごく大事なことだって感じています。

ずっと日記を書いているのですが、ある人に「日記を書くと自己憐憫に浸っちゃう」って言ったら「それでも書き続けることがいいんだよ」って言われた時に、「あっ、そうなんだ」って前向きになれた。自分と向き合うってどうしてもネガティブになってしまうことも多いけど、そういうネガティブさもすべて自然に受け入れて、自分らしく軸を繋げていけばいいんだと素直に思えたんです。コロナの自粛期間も、少しそれと似てる。そうやってあらゆることを受け入れて、人は前を向いて生きていくんだなって。

自分の本質に触れる

とにかく「見た目の裕福さよりも、中身の豊かさを大切に」というのが私のモットーになりました。何かを選択する時、何か始めようとする時、その行動が自分の本質的な軸にしっかり触れているかどうかということをいつも確認しながら進んでいきたい。失敗を恐れないでチャレンジすることはもちろん大事ですが、ちゃんとそこに「自分の心」が存在しているかどうかが一番重要なんです。何より、一つひとつの事柄を繊細に考えられるようになった気がします。仕事も日常生活もすべてにおいて。当たり前のことを大事にしていかなきゃって。そう考えると、これから自分の選択はいままでと少しだけ変わっていくんだろうな。

これからまた仕事が始まったら、いろいろわかるのかな。仕事への向き合い方は本当に変わりそうですよね。私が大事にしている本質的な軸を伝えられるような質の高い仕事をしていけるように、自分自身がその価値に見合った人間に成長しないといけないですね。

忘れていた自分との再会

自粛期間があったおかげで、自分を好きになれました。以前は誰かのInstagramを見て落ち込んだり、ネガティブなことも考えていたし、本当に典型的な「女の子」だったんです(笑)。でも自分に向き合ったことで「あ、これでいいんだ」って思えるようになりました。他人と比べなくなったんですね。だからこれからは、自分が感じたことを、自分らしく、素直に表現していけるようになりたい。絵も含めて。他人じゃなくて、「自分がどう思うか」ってことを大切にしたいんです。好きなものも、感じることも、やりたいことも。

前から気持ちが落ち着くから絵を描いていたんです。けど忙しい日々だと描けなくて、どんどん遠ざかっていました。久々にそんな自分と再会したって感じですね。昔はクリスマスカードや年賀状とかも描いていたんです。でもこういう仕事をしていると自分自身のピュアな部分を隠さなきゃいけないこともあるんです。久しぶりに絵を描き始めて、そういう自分と向き合えた。うまく描こうとしなくていいし、自分のピュアな部分を表現できるなって。誰もが自分自身を尊敬できるようになって欲しいし、あらゆる表現を通して、そういうことを伝えていけたら嬉しいです。

変わらずいますか?

半年後の自分には「今思ったことを、そのまま続けられていますか?　今より忙しいと思うけど、周りに流されていませんか?　自分だけのことじゃなくて、社会に目を向けられていますか?」って声をかけたいですね。それで、ずっと未来には「こういう大変なことがあったけど、でもそれをきっかけに自分の考え方を変えることができた」って伝えてると思います。「だから今私は絵を描いているんだ」って。ずっと描き続けると思います、絵を。

アンディ・ウォーホルの言葉で「Think rich, Look poor」って言葉があって。「着飾ることより、考え方を豊かにしよう」。つまり本質的なことを大事にしてってこと。これが私のキーワードですね。自分に正直に生きたいと思います。

1993年、愛知県生まれ。モデル、女優。14歳でスカウトされ、モデルデビュー。数多くの女性誌を中心に、CM、映画、ドラマなど幅広く活躍。
INSTAGRAM https://www.instagram.com/miyu_hayashida

before daylight.
今いる場所から。

2020.3.26　MIYU FUKADA

「外出禁止を考慮して、解放された屋上から見つけた煙突とサボテン。ちょうどコンパクトにまとまって見え、なんか可愛くて思わずシャッターを切った。」

深田美佑／バルセロナ在住。NYへダンス留学中にガラクタ市でみつけた10$のフィルムカメラで写真を撮り始める。写真の他にも、雑誌等でのコラム執筆、翻訳など多岐に渡って活動中。2016年より毎年個展を開催。

14

必要な物は
全部自分の中にある。

写真家

深田美佑

自分のために好きな写真を撮る

写真家として活動しています。写真を撮ることは極論で言うなら、自分のための活動。作品はすべて、自分のパーソナルな写真だと思っています。誰かに何かを伝えたいっていうことよりも、自分自身が「やりたい」とか「楽しい」って思うことに挑戦していたいんです。そうじゃなきゃ、バランスが崩れちゃう。だから、まずは自分の「マインドのケア」のために好きな写真を撮る。それが結果的に誰かのためになることもあると思うんです。

6月にスペインで展示をするつもりだったんですが、多分出来ないだろうから時期を再考中です。ロックダウン中は、モデルの友達と一緒に作品作りをしたり、スーパーに行くついでに誰も人がいないバルセロナの街を撮ってみたり、今しか出来ないことにトライしています。このタイミングで作品を制作するアーティストが多くて、そういうトレンドのプレッシャーに圧倒されて「私も何かやんなきゃ」とか思っていました。でもロックダウンしてから1ヶ月半くらいは何もしてなかったな。本当に料理くらいしかしてなかったですね。

コロナ前と変わらず毎日を全力で生きる

いつ何が起こるかわからないし、極端に言えば自分がいつ死ぬかだってわかんない。世界中がそういう事実を理解したと思う。でも私自身はいろいろな状況を「コロナのせいで」とはあまり思っていないです。そもそも先がどうなるかってことは、それまでだって誰にもわからなかったはずだから。「どこかに行こうね」と気軽に言えないムードとか先の予定が立てられない不安は確かにあるけど、逆に自分自身はさらにやる気が出てきた感じなんですよ。もともと毎日を全力で生きていたいんですよ。だからやるべきことはコロナの前と変わらない。自分のやりたいことをさらに追求していこうって思っています。

バルセロナでホームシック

そういえばほとんどお酒を飲まなくなりました。やっぱりお酒は誰かと飲むものなんだなって。一人じゃつまんない。バルセロナに来て間もない頃は友達もほとんどいなかったから、呼び出されてどこかに会いにいくってこともほとんどなかった。だからコロナ禍で一人で過ごすことにそれほど違和感はなかったんです。でも制限が解除されてみたら「あ、自分まだここに来て短かかったんだな」っていうのに気付きましたね。みんな友達と歩いてたりとか、カップルが歩いてるのを見たりして、自分がまだここの住民になりきれてなかったんだな、っていうのを感じたんです。それでちょっとホームシックになりました。

バルセロナに来てから友達になったチリ人の女の子がいるんですが、今その子と旅に行こうって話しています。彼女は初めて会った時からテンションが高くて「みゆの写真好き」って言ってくれるんです。週に2回くらいは電話してたかな。彼女とFaceTimeでよく話をしています。彼女は彼氏の実家がフランスのピレネー山脈の近くの田舎にあって、コロナが流行し始めてすぐにそこに移動してたから、バルセロナにはいなかったんです。バルセロナには自然はあるけど街だから、FaceTime上で彼女がランニングしているきれいな山の景色を見せてくれたりとか、フランスの外出禁止の状況を話したりしていました。お互い泣くほど深い話をしたり。ロックダウンがあったおかげで仲が深まったかもしれない。当初は外出禁止は15日間だったのが、3~4回延期になった。15日経ったらバルセロナに戻るって言ってたのが、「また延びると思う?」って賭けをしてました。負けた方が釣りの餌のみみずを買う、みたいな(笑)。

季節の変化に気分もリフレッシュ

やっぱり生きてることは幸せなんだなと改めて感じましたね。それと、自分の周囲の人たちのことを想うようになりました。スペインに来て仕事も見つからないまま、外出禁止になって。そんな時、以前から仕事をしてた人が新しい仕事を依頼してくれたり、やっぱり人との繋がりが大事なんだなって思いました。それと、何より友達。気軽に話せる相手がいることって、すごく大事なことですね。

ポジティブにいられた理由の一つは、バルセロナの天候。基本的には天気が良くて、太陽の光のありがたみや自然の変化を感じられることが嬉しかった。緑が青々しくなったり、花の香りを感じたり、ちょっと外に出た時に感じる季節の変化に気がつくたびに「生きてるんだなあ」って。ずっと家の中にいてほとんど変化がない生活の中で、不安を抱えてもやもやしながら生きている時でも、刻々と自然は変化しているんだなって。もしそうじゃなかったら精神的に参っていたと思います。

必要なものは既に自分の中にある

バルセロナに来てまだ自分のスタイルが固まってない時にコロナ禍になって、自信がなくなりかけた時があったんです。いつもサーフィンができる、めちゃくちゃいい日本の生活を置いてどうして私はここに来たんだろうと。自分で決心して来たはずなのに。そんな時、以前母に勧められていたラルフ・ウォルドという アメリカの哲学者の『セルフ・リライアンス』という本を読みました。「可能性は全部自分自身が持っているのだから、心配しなくて大丈夫」という自分の可能性を信じるべきだって内容で、「そうか、必要なものは既に自分の中にあるんだ」と勇気をもらえました。

読書やプライベートな撮影以外では、料理ばかりしてました。もともと料理は好きだったけど、手に入れられる食材が日本と違うから、最初はパスタばっかり。でもだんだん飽きてきたし、自分の中で「食に関しては妥協しない」って決めたんです。食べることが楽しくなかったら家にいることも楽しくないから、「自分の食べたいものを作る」って。それからは、チャーハン、餃子、豚の角煮、唐揚げ。マーマレードも作ってみたし、チーズケーキにアップルパイも。全部美味しかったな。

改めて考えた人との繋がり

コロナが起きたことはある意味で浄化のプロセスなんだと思う。この状況がフィルターになって、いろんなことが見えてきました。自分の不安だってあからさまになったし、うまく切り替えて対応できる人と、拒否反応で対応できない人がいて、この状況にどう対応していくかをテストされてる感じがする。例えば友達でもずっとネガティブな人、ずっとポジティブな人、あとはネガティブだったけどポジティブになった人とか、いろんな人がいる。周りの人たちが何をどう考えてるのかクリアにわかるようになったし、こういう状況にどう対応していくのかも改めて理解できました。じゃあ自分がどういう人と一緒にいたいかって言われたら、やっぱりポジティブな友達。そういう人たちとは「これで180度世界が変わっても、全然大丈夫だよね。コロナが終わったらもっといい世の中になる」って話しています。

「どうでもいい」って人とは会わなくなりそうですよね。オンラインで話すくらいで十分な人と、どうしても会いたい人に分かれるというか。それと、自分に本当に必要なものがなんだろうって常に考えるようになると思う。外に出て誰かと会うからおしゃれや化粧をしたいと思うわけだし。その先に誰かがいるかいないかで自分が何をしたいかってモチベーションが変化するのって面白いですよね。写真だってオンラインで発信できるけど、実際の展示にはその場所に人が来てくれないと意味がない。だから人と人との繋がりはなくてはならないものなんだなって強く感じました。

発信していくことへの試行錯誤

一番大きかったのは掲載予定だった雑誌が延期になったことです。自分のために写真を撮ってると言ったけど、どこかで外に向けて発信したいって願望は必ずあるんです。外に向けて発信することで、自分の内側が変わるから。雑誌の企画や展示ができるのかわからなくなって、一瞬、アーティストでいる意味みたいなことがわからなくなりました。

ずっとフィルムにこだわって撮っていましたが、最近はデジタルカメラでも撮影するようになりました。フィルムはコストがかかるっていうのもあるけど、ロックダウンの最中は、フィルムを現像しに行けなかったし、より効率的なデジタルに挑戦しようと思ったんです。持っていたらいいスキルなことは間違いないし、そういう意識はさらに強くなった気がします。

それと、自分が発信する内容には気をつけなきゃいけないなって思います。不安を煽るような情報やネガティブなことは発信したくない。時間があってSNSを見る機会も多かったですが、政府の批判とかも含めて見るだけで嫌な気分になるネガティブな情報がたくさんありました。無理に気分を良くする情報ばかり発信する必要はないけど、それよりも違うアイデアを提案するとか、建設的なディスカッションをする方がいいし、どうしても必要でネガティブな発信をする時にも、伝え方を考えることが必要ですよね。自分でも無意識にやってしまっていることを、自分自身が変えていこうと思いました。見た人がハッピーになるような問題提起の仕方をもうちょっと勉強したいですね。

自分らしく旅を続ける

私の価値観にタイトルをつけるなら「どこでも私」ですね。どこの国に住んだとしても、吸収するべきことは柔軟に吸収しながら常に成長するけれど、自分自身のコアな部分はブレることのない私でいたいです。

ロックダウンが終わって嬉しかったのが、市内で歩いてる友達に偶然会うこと。買い物の途中や、たまたま同じ道で会ったりすると、「あ、私はこの街に住んでるんだな」ってすごく嬉しくなりますね。コロナが終息したら、どこでもいいからとりあえず旅に出たいです。遠くじゃなくても全然構わない。バルセロナにもまだまだ見ていないものがたくさんありますしね。列車で30分くらい走るだけで、全然景色が違う街に行けるから。今行きたいと思っているのが、ダリの家があるコスタ・ブラバっていう海沿いの町と、バルセロナ空港やFCバルセロナのスタジアムを設計したリカルド・ボフィルが石油工場を再利用して建てた家です。いまはバルセロナはフェーズ0で、来週ようやくフェーズ1に移行するんです。フェーズ3まであって、それぞれのフェーズが最低2週間。フェーズ3になると旅に出られるようになるから、そうなったら行きたかった場所を自由に旅したいです。

NYへ留学中、ガラクタ市でみつけた10$のフィルムカメラで写真を撮り始める。旅をしながらその土地で見つけた面白いカルチャーや生活、人をフィルムで表現。雑誌でのコラム連載、コーディネーター、通訳／翻訳など多岐に渡って活動中。WEB SITE https://www.miyufukada.com | INSTAGRAM https://www.instagram.com/miyufukada

OUR ASSOCIATES

TREASURE CLEAN

15

時代の変化を捉えながら新しいことに挑戦し続ける。

株式会社ヘラルボニー代表

松田崇弥・文登

アートを通して障害のある人のイメージを変える

日本全国にあるアートに特化した福祉施設とアートマネジメント契約を結び、アートというフィルターを通じて障害のある方との出会いを作ることによって、障害のある方のイメージを改革してくことを目指している会社を運営しています。大きく3つに分けると、原画の複製事業、ライセンス事業、アパレル事業の3つをビジネスの柱にしています。これから本格的に進めていきたいと思っているのが原画の複製事業で、もっと世界に向けた発信をしていきたいと考えています。市場も日本よりも海外のほうが大きいから。ライセンス事業では、パナソニックのオフィスの壁紙にアート作品を使用したり、建設現場の仮囲いをソーシャルアートの美術館にしてみたり、駅舎そのものをアートで飾るプロジェクトなどをしています。さらにアパレル事業では、日本の職人たちと組んでクオリティの高い作品を制作し、障害のある方が作るアートの価値をもっと高めていくプロジェクトです。昨年はトゥモローランドと組んでハンカチを制作したのですが、「障害」という言葉は一切抜きにしてZOZOTOWNの月間ハンカチ売り上げで一位になりました。ライフスタイルブランドを目指して、お皿や家具などにアート作品を落とし込むことにも挑戦していきたいですね。こうした事業を行うきっかけは、4つ上に障害を持っている兄がいたこと。「かわいそう」と言われる機会が多かったんですが、僕の中で「かわいそう」という認識はまったくなくて。自宅の一歩外に出ると、なんでも「障害のある人」というくくりになってしまうことにずっと違和感を感じていたんです。兄のアートを見た時に感動したんです、「こんな世界があるんだ」って。こういうレベルの出会いを作っていくことで、障害のある方のイメージが根本的に変わっていくかもと思ったんです。僕たちは「異彩を、放て。」というミッションを掲げていて、あえて障害のある方々を「普通じゃない」と定義しています。ただそれは同時に可能性だと思うということを伝えていて、彼らを「異彩」と定義して全国各地に放って、障害のある方のイメージを変えていくことを目的に活動しています。

自分たちが目指す方向が明確に

崇弥さん（以下、崇）：コロナの影響でどんと仕事がなくなって銀行にも走ったりしましたよ。コロナ直後は必死にやっていましたが、でもそれをきっかけに、いままでチャレンジできていなかったことにも挑戦できるなと思うようになりました。僕らはTo Cのアパレル部門を強めていきたいと思っていたのですが、なかなかそこに注力できていなかったんです。コロナ禍で「そもそも会社に足りなかったものって何だろう」という話を社員全員として、もともと会社としてやりたかったことにドライブできた。プロダクト販売に注力したいと思っていたのですが、やっぱり物販は難易度が高いし、粗利に直結するところではないので、会社を存続させていくためにいままでは必然的にTo Bの方を頑張ってたんです。でももう背水の陣になったので、逆に良かったかもしれないです。

文登さん（以下、文）：今は不安はないですね。最初は仕事がどんどんなくなって焦りましたけど。でもうちの会社のいいところは、「これはこう」と思ったらすぐに行動できるところだと思います。右に左に後ろに前に、みたいな感じでぽんぽんやっていける強さがあるんですよ。

崇：流行しだしてから一番連絡をとったのは自分の双子である文登でした。

文：大学時代も毎日連絡とってました（笑）。本当に何でも話すんです。普段から仲良いけど、お互いの存在が大きいなっていう気はしました。

崇：僕は東京で、彼は岩手。程よい距離感ですね。毎日2〜3本は連絡します。双子で会社をやっていていいな、と思うところは、「何でも言える」こと。会社の経営はもちろん、家庭の話もよくしますよ。

文：仕事が大きいほど、必ず2人が「やりたい」と思ったことをしてますね。

支援する新しい消費

崇：コロナ禍で行ったことの一つにマスクのプロジェクトがあります。福祉現場にマスクが全然足りていないので、様々な福祉関連団体と連携して「おすそわけしマスク」っていうプロジェクトをやってます。55枚のマスクを買っていただくと、そのうち5枚を福祉現場に「おすそわけ」する。今30万枚以上のマスクを700以上の福祉現場に送っています（2020年6月3日時点）。すごい反響がありました。印象的だったのが「これなら私も参加できる」という言葉でした。コロナがきっかけになって、様々な人が簡単に参加できる「きっかけ」を提供できているんだなと。新しい消費行動の形になるかもなとも思いましたね。安く物を買うよりも、本当に大切なもので、誰かにおすそわけできるような購買の仕組みが、コロナをきっかけに広がるかもしれない。

人と触れ合う福祉職をフォローする取り組み

文：岩手は車ですぐに山や川に行けるし、誰とも会わず自然と触れ合えるのが魅力なんですが、そういう豊かさみたいなものがもっと定義されていく時代になるでしょうね。満員電車に揺られながら毎日出社するのではなく、テレワークが加速的に行われて、週1で出社すれば軽井沢に住んだっていいし。働き方の概念が変わる。人々がもっと「豊かな生活」を求めることが多くなると思うんです。

崇：消費行動もかなり変わると思います。意味のないものの価値がさらになくなっていく。例えば「僕は彼を応援したい」という応援消費とか。「おすそわけしマスク」は中国製でしたが100件以上も製造地の問い合わせが来た。だから透明性を保つために今度はウェブサイトに中国製ときちんと明記したんです。そんな風に透明性とか、購入する「意味」そのものがさらに重要になってくる。

文：福祉現場の人たちは、三密が避けられない環境だからすごく大変なんです。それを防ぐために団体を立ち上げたりしています。けど「人と人との繋がりがないといけない」という現場は、逆に人間らしい場所だなという風にも感じます。電話でも「私たちほんと大変なのよ〜」っていう意外と口調が楽しそうだったり。もちろん知的障害のある人がマスクつけてくれなかったり、コロナウイルスの脅威をわかってもらうのは難易度高いと思うんです。でも、「接触すること」が必須とされている環境は、ある種すごく人間らしくて「変わらない価値」みたいなものがあるのかもしれません。

　障害のある方々に手洗いとうがいのルールを作るのは難しい。それを視覚的なコミュニケーションによって習慣をつけることができないかという『gram project』という取り組みを有識者と立ち上げました。ユニバーサルデザインの標識を作って、これを手洗いの場所に入れ込むことで習慣化させる仕組みを作ろうとしています。視覚コミュニケーションというのが特別支援教育では当たり前なんです。これから実証実験をスタート予定です。

アーティスト個人への仕事を獲得したい

崇：何よりも家族が大切だって思いました。家族とか話せる人がすぐ隣にいるっていうのは大切なことだし、ステイホームをきっかけに家族が大事だなって思う人は増えている。もちろん、そのことで逆に大変な人もたくさんいると思います。

文：盛岡でギャラリー兼オフィス兼ショップをオープンするので4月からオフィスを借りる予定だったけど、大家さんに相談して10月末から始めることにしました。リモートってハードル高いなって思ってたんですけど、全然そんなこともなくて、ちゃんとやることを明確化させていれば問題ないなということを確認できました。コロナが収束した後でも感覚としてはオフィスの必要性はあまり感じないと思います。もちろん直接会った方がいいところもあるけど。「Zoomでいいですか?」って言っても今は失礼じゃないですしね。

文：今後の展望としては、アーティスト個人をもっとバックアップする仕組みを作りたい。今はヘラルボニーが冠にある感じですけど、それより、ヘラルボニーは障害のあるアーティストをマネジメントする会社、という立ち位置に持っていきたいですね。吉本興業がお笑い芸人をマネジメントしてるみたいな感覚で。もっと個人をエンパワメントする仕組みをメインにしていきたいんです。例えば八重樫季良さんっていうアーティスト個人のファンが増えて、個人にお金が落ちていくっていうように。作家のYouTubeチャンネルを作るとか、そのくらい個人を立たせられたらと思っています。ヘラルボニーが指名されるんじゃなく「この作家さんと一緒にやりたい」って言ってもらえるようにしていきたい。

コロナを通して改めて強く思ったこと

文：未来から今の自分にメッセージを送るとしたら「今は挑戦をやめるな」ですね。コロナで、企業が新しいことに挑戦して失敗したとしても、許される期間だと思うんです。だから、やりたいことは挑戦し続けろよ、と言いたい。

崇：僕は「ミッション・バリューに忠実であるかどうか」。売り上げがなくなった時に、今思うと会社がやるべきじゃなかったよね、と思うようなことに手を出しそうになったりもして。会社を存続させること、社員を守ることは大切なことですけれど、それよりも何のために会社が存在してるかっていうのを考えることがすごく重要だなと思っています。

今のキーワードは「トレンド」。コロナを乗り越えるっていうこと自体もトレンドですよね。そのトレンドに会社として意味ある形で乗っていきたい。コロナの影響で逆に企業価値を高めている会社もあるし、アイデア次第ですよね。「困った」じゃなく、トレンドとして捉えた方が面白いことができるんじゃないかな。

文：「捉え方」ですね。例えばオランダのゴミ箱会社が、ゴミ箱を「資源箱」って名付けた。すごいやられた感あって。言い換えることによって「地球に還元する循環型社会の一助になっている」と思うかもな、と思いました。このコロナ禍で捉え方を変える企業が新しいイノベーションを生み出しているので、僕らもそういう企業でありたい。

文：いつかこの経験を伝えるとしたら、「こういう時は悲観的にならずに、新しい発想でどのように対応していくかが重要だ」と伝えたいですね。批判することは簡単だけど、それをどう乗り越えていくか。発想はすごく難しいけど、そんな風に頭を使えたらいいですね。

崇：いつか子供に伝える時には「大変だったんだよ」って言うと思う。でも僕らが決断した意味のあることを通じて「このことがあったから、生まれたものもあるんだよ」って娘に伝えたい。「悩んだからこそいろんなことが生まれて、みんなに愛されてるんだよ」って言えたら、親父としてかっこいいし、そうありたいですね。

崇：コロナが終息したら展覧会をやりたい。Zoomを利用してオンラインミュージアムを開催したりとか。オンライン上にいかにアートを忍ばせるかに挑戦中で、これからもやっていきたい。とはいえ、生に勝てないっていうことも感じているからリアルに触れてもらって、作家さんと握手してもらう機会をまずは作りたいですね。

文：ヒップホップが好きなので、フェスとか音楽イベントに行きたい。周りの友人たちと当たり前に楽しみたいですね。

まつだ・たかや／代表取締役社長。チーフ・エグゼクティブ・オフィサー。小山薫堂率いる企画会社オレンジ・アンド・パートナーズ、プランナーを経て独立。異彩を、放て。をミッションに掲げる福祉実験ユニットを通じて、福祉領域のアップデートに挑む。ヘラルボニーのクリエイティブを統括。東京都在住。双子の弟。誕生したばかりの娘を溺愛する日々。日本を変える30歳未満の30人「Forbes 30 UNDER 30 JAPAN」受賞。

まつだ・ふみと／代表取締役副社長。チーフ・オペレーティング・オフィサー。大手ゼネコン会社で被災地の再建に従事、その後、双子の松田崇弥と共にヘラルボニー設立。自社事業の実行計画及び営業を統括するヘラルボニーのマネジメント担当。岩手県在住。双子の兄。バス釣りが好き。日本を変える30歳未満の30人「Forbes 30 UNDER 30 JAPAN」受賞。

WEB SITE http://www.heralbony.jp/

16

オンラインの世界から「英語」のハードルをどんどん下げていきたい。

英語通訳・翻訳家

三井 翔

使える英語を教えたい

通訳と翻訳、あとはオンライン英会話など、英語の仕事を中心に活動しています。本気で英語が喋りたいっていう気持ちの人に教えたいので、今は知り合いづての方がほとんどですね。あとはYouTubeチャンネルを最近始めました。それを見て「英会話を教えて欲しい」という人もいます。英語でコミュニケーションして、自らの見地を広めたいって思っている人なら、どんな人でもウェルカムです。

中高一貫校で英語教師を13年間していたんです。そこで「科目」としての英語教育に対して、教師として疑問を抱いていたんです。僕が学校で教えていた生徒が、街で外国人に道を聞かれて答えられないとか。自分が関わったからには、いい英語教育をしてるって信じてるわけですよ。それなのに結果、自分の生徒が英語を喋れない。自分のしてきたことに対して疑問を持ちますよね。入試で結果を出すための教育だったんだなと。もちろん進学のことを考えたら正しいし、否定はしちゃいけない。でも英語を嫌いになってしまう生徒も出てくる。日常と切り離された言語をいきなり教えられるのってすごい苦痛なんです。自分の英語教育があくまで受験合格や成績獲得の為の「科目」化していることに違和感があって。もっと言語として、意思伝達のための道具として、英語をできるようになって欲しいなって思うんです。英語は世界の公用語だし、それだけで圧倒的に世界が広がってることを、子供たちに伝えられないかなと。学校を辞めたことでルールがなくなったから、意思伝達ツールとしての英語を教えますっていうスタンスが取れるようになりました。

YouTubeは「しゃべりまくりEnglish」ってタイトルです。コンセプトはとにかく喋れるようになろうぜってこと。まず発音できないと聞こえないので、何より発音が大事なんです。あとは日常使いできるフレーズであること。「これ実際に使えるだろ」ってフレーズをばんばんやっています。コロナになって最初に考えたのが、学校の授業がなくなっちゃった子供たちのこと。いつ学校に戻れるかわからないし、戻った時に学習が遅れたら大変だよねって。中学英語の担当だったので「中学3年生」に絞ったんですが、3年生が学校に戻って文法を教わった時「あれ、あの動画で言ってたな」みたいになるようなコンテンツができないかなって思ったんです。なので中学3年で習う文法を網羅しました。

やる気になれば何でもできる

自粛期間はYouTubeに毎日投稿をしつつ、翻訳とオンラインでの英会話教室の仕事もあったのでほんと忙しくてネガティブになっている暇はなかったです。毎日投稿って予想以上に大変なんです。しかも音楽も自分で作りたいっていうこだわりもあって、ビート作って歌詞考えて動画撮ってカット割りして編集する。これが本当に大変。自粛が解けて一番思ったのが、「今日はビート作らなくていいんだ!」ってことでした(笑)。本当に忙しかったけど、自粛の間ずっと動機を与えてくれたのがYouTubeだったし、だからこそポジティブでいられましたね。止まっていたプロジェクトもありましたが、ほとんどが動き出しました。オンラインに転換できるタイプの仕事がほとんどだったことが、結果的にラッキーでした。

今回のコロナ禍で気付いたことは、やってみたら意外と何でもできるんだってことですね。いままで自分で料理を一回もしたことなかったんです。マンションの目の前のスーパーで惣菜買うか、松屋行くかみたいな。でもこういう状態になって、「外食も怖いし」みたいな感じで作り始めたら結構できた。彼女に電話で教えてもらいながら。しかも美味しいし、外食する必要ないじゃんって気付きました。あと音楽が好きで曲作りはしていたけど、コンピューターで音楽を作るのは絶対無理だと思ってた。楽譜も読めないし。でも、これもやってみたら簡単にできた。動画編集もですね。機械音痴だと思っていたけど、この期間で機械とフレンドリーになれました。つまり「人間やれば何でもできるんだ」っていうことですね。自粛してたら一人だし、「ちょっと手伝って」ができないから。そういう状況になれば、人間なんでもできるんだなって感じましたね。

大切な人を思って感染対策

自粛期間によく連絡とってたのはやっぱり家族です。両親とも70代で、志村けんさんも亡くなって両親と同い年だから、怖いと思って。感染して欲しくないから「絶対外に出ないで」って連絡してました。それでも、一人暮らしを始めた僕のことを心配して、ご飯を持ってきたりするんです。

それと、海外の友達とはかなり連絡を取りました。ほとんどの友達がアパレル業界と音楽業界で働いていて、ライブとかもなくなってしまって大変みたいでした。アパレルもオンラインだけで、ホールセールでは売れない。僕もコーディネーターの仕事が全部なくなって落ち込んでたこともあったけど、みんなきついだろうなっていうのが理解できるから、お互い励まし合いました。家族も友達も、自分のことを大事だと思って連絡をくれる人たちに、「今健康だし安全に過ごしてるよ。これ終わったら絶対巻き返そうぜ」って言ってるところです。彼らが頑張ってたら僕も頑張れる。だから「翔も頑張ってるんだから、俺も頑張ろう」って思えるように。

海外の友達と話してると、メールであっても電話でも必ず最後に〝Stay Safe and Healthy.〟って言い合っています。「安全に、健康でいてね」ってことなんだけど、それはやっぱり今この状況だからこそですよね。普段ならByeで終わりだから。相手がコロナになったら、絶対悲しいわけじゃないですか。それを聞くたびに、ちゃんと気をつけようって思うんです。「マスクはちゃんとしなきゃ」とか「手を洗おう」とか。

YouTubeのコメント欄に「見てるだけで元気がもらえます。これからも毎日投稿頑張ってください」って書き込みがあったんです。これがやっぱり心に刺さりました。視聴回数が低い動画だと26回とかしか見られてない。でもこういう人が一人でもいるなら、「毎日投稿頑張ってください」って書かれちゃったら、頑張るしかないですよね。少なくともそいつは毎日見てくれてる。頑張ろうって。

アメリカはこういう社会の状況にすごく敏感だからすぐリモートになるんです。米軍の経理で働いている友達は、ロックダウンが解除されても出社は週2日だけになったらしいんです。基地内の人全員が気付いたのは「こんなに出社する意味なんてなかったんだ、もともと」ってことだった。必要のない仕事が実はたくさんあって、企業が経費削減できるってことに気付いたらこれからさらに仕事が減るんじゃないって彼は言ってました。日本人は前例好きだからすぐにそんな風にはならないかもしれない。「なんでやるの?」って聞いたら、たいてい「去年やったから」という発想だから。日本の価値観はずっとそんな感じで、それがよかったこともたくさんあるはずだけど、「あれ、もしかしたら違うかも」って人がたくさん出てくるかなと思います。

これからはオンラインが生活の軸に

僕自身はこれからどんどん引きこもると思う。しばらくは外に出ない。メディアはあまり信頼してないんです。だからしばらくはこのまま過ごすと思います。コロナ禍で、仕事だってオンラインだけで済むんだったらそれでいいのかもって思いました。いままでみたいに悠々自適は無理かもしれないけど、最低限の収入はオンラインで得られるってわかったし。ご飯も自分で作れるし、好きな服だってオンラインで買えちゃう。自分で発信できるプラットフォームも増えた。でも旅行はやっぱりなくならないと思いますね。いくらGoogle Earthで風景を見たって、体験するのとは違うから。音楽のライブ映像や映画は、ライブでは見られない画角だったり、もしかしたら実体験とは違った価値がある。でも旅行だけは温泉の写真を見せられたって、自分で入らなきゃ意味がないですからね。

Face to Faceで教えることとか、ミーティングの現場に足を運んで同時通訳するとかはなくなりましたね。現場で誰かと会う仕事というのは確かに劇的に減りました。でもオンライン内でのコミュニケーションは圧倒的に増えましたね。もとから対面じゃなくてよかったじゃんって。移動時間も省けるし、場所も考えなくていいから、お互いにとっていいことですよね。学校を辞めて、こういう生活にシフトしていたので、不安はあったんです。けど、コロナがあったからこそ、こういうオンラインのスタイルでも大丈夫なんだっていう安心感が生まれましたね。メッセージのやりとりとビデオ通話。今僕と関わってる人たちからしたら、もしかしたら僕はネット上にしか存在してないくらいの人かもしれない。そうやってネット上に存在しているだけでも、生活は成り立つことが「普通だよね」って時代になる。そういう価値観を持った若者がどんどん増えていく。だからこれからは多くの人が「ネット上の生活」を充実させていくんだろうなって思いますし、誰でもそういう生き方が選択できるようになるんでしょうね。

誰もが英語でコミュニケーションできる世界へ

YouTubeは無償なので、気軽に見られるわけです。僕の番組を見て「これならできそうだから、ちょっと喋ってみよう」ってなったら嬉しい。英語はコミュニケーションのツールだって考え方を定着させたい。世界はどうしたって英語が公用語だし、喋れるのが当たり前の時代がすぐそこまで来てるから。10年後にはプログラミングと同じくらい当たり前に英語を喋る時代になるでしょう。そこで僕は貢献できると思ってるんです。僕のスキルやノウハウをたくさんの人と共有して、英語を話すことのハードルをどんどん下げて、誰もが英語を話すのが当たり前の世の中にしたいですね。

僕のテーマは「オンライン引きこもり厨二病患者」です(笑)。家からも出なくなり、完全にオンラインだけで生活する。でYouTubeという厨二病がやりそうなことを始めたという。コロナによってそれが生活の核となりそうです。

数年後振り返ったら「コロナがなければ料理もDTM作曲も動画作りもできなかったよ!」って言ってると思います。「全部できるようになっちゃったんだよね、コロナで」みたいな。僕は腰が重いタイプで、普段はなかなか行動しないんですが、料理も、曲作りも、映像編集もできるようになった。そういう意味では、この期間はすごくポジティブだったと思います。彼女がとても若くて、やっぱりここら辺で株をぐんと上げなくてはってことで、この前誕生日に僕がごはんを作ったんです。そしたら「一人で生きていけそうもないし私が守ってあげなきゃって思ってた部分がなくなった」って言われましたけど(笑)。

英会話教師、通訳・翻訳家、「底辺」にもなれてないもはや、「床」系YouTuber。意思伝達のための「道具」としての英語を社会に広めようと奮闘中。私立中学高等学校の英語教諭を13年間勤めながらバンド活動やファッション界隈での交友を通じ、2019年に独立。Neck Deep, Tainy, Against The Current等多数の有名海外アーティストのコーディネーターやCarrots by Anwar Carrotsのコラボレーション企画等の通訳を手掛けてきた。自身のYouTubeチャンネル「しゃべりまくりEnglish」も激推し中。YOUTUBE http://www.youtube.com/user/321sho | INSTAGRAM http://www.instagram.com/sho_altmed

before daylight.

今いる場所から。

2020.4.8　TOSHIO OHNO

Moon River／国境を越えて、人種や性別を越えて。私達皆んなが同じ気持ちになれる事をその日、月が証明した。

—

大野隼雄／近年では海外アーティストのワールドキャンペーンを手掛けドラマチックな写真に高い評価を得ている。2018年にはラフォーレ原宿にてAD嶋尾仁希との企画展を開催。2020年より、えるマネージメントに所属。

17

身近な人や物に
愛を持って
接するということ。

みかん農家
若松優一朗

食を考えるきっかけを作りたい

愛媛県でみかんの栽培はもちろん、ジュースなどの加工品を作る、みかん農家を営んでいます。若い人たちの中には農業に興味がない人がたくさんいると思うから、そういう人たちに食のことを考える「きっかけ」を作りたいっていう思いもあります。みかんがどういう生産工程で作られているのかちゃんと話すと、みんな衝撃を受けるんです。僕は生まれた時から家の裏がみかん畑って環境で育ちました。祖父と祖母がみかんを栽培していたのですが、両親は農業に携わっていなかったから「農家をしなさい」というような言葉はなかったですね。

大学では観光学を勉強していました。観光学というのは地方のいい部分をクローズアップして、お客さんに来てもらう取り組みを考えるのが基本のスタンスなのですが、授業を受けている時、「もしかしたら観光学と農業って繋がる部分があるんじゃないか」って考えるようになったんです。なんだか点と点が繋がった感じがして、それから農業について真面目に考えるようになりましたね。それからいつか農業をやろうとは思っていたのですが、まずは洋服屋やコーヒー屋、ホテルや民宿など自分が興味のある仕事をいろいろしてみました。実際に農業を始めたのは26、27歳の時でしたね。そうした社会経験を活かして、将来は「民宿とカフェ」というB&Bのような取り組みができたらいいなと思っています。農家の仕事を手伝ったら宿泊代が無料になるとか、訪れたお客さんが農家を体験できる「農家ワーキングホリデー」みたいなスタイルができれば最高ですね。

自分なりに考えたポジティブなギフト

自粛に関しては、率直にいえば愛媛県の田舎はすでに緩んでいるような気がします。けどそういう状況に特に不安はないですね。そもそもずっと緊張感があるままではいられないだろうし、いつかはこういう風になるだろうって思っていたので。最初に世の中がネガティブな雰囲気になった時、SNSやテレビ、ネットの記事を見て、気分が落ちることはありました。その時はどうにかポジティブになろうとあれこれ考えました。それで考えたのが「みかんジュースと新玉ねぎとお米」の3点セットを作ること。僕の家ではみかんだけじゃなく、野菜全般やお米も自分たちで処理できる範囲で作っているのですが、ちょうど4月で玉ねぎが美味しい時期だったので、「みかんジュースと新玉ねぎとお米」の3つをセットにして5キロの段ボールに入れて「ALL YOU NEED IS LOVEセット」として送料込みで3500円ってSNSにアップしてみたら、たくさんの人が欲しいって言ってくれたんです。すごく嬉しくて、みかんジュースのボトルには素直な気持ちだった「LOVE」をモチーフにハートの絵を描いたラベルを貼りました。どうしても感情が先に来ちゃうんですよね。もちろん配送するってことは配達員の方が家に行くってことで、それってて人が動くっていうことだよなとか、あれこれリスクも考えましたが、やってみて本当に良かったと思っています。

周りのポジティブなムードに助けられた

好きなコーヒー屋にも行けなくなりました。スーパーで自由に商品に触れたりすることもそうですし、コロナが流行したことで、あらゆる日常がとても幸せだったんだってことに気付かされました。それでも周りにはプラス思考の友達が多いので、投げやりな言葉を使ったりってことはほとんどないですね。みんな「ここは難しいけど、こういう感じならやれるし、やりたいよね」って感じだから、モチベーションも保てています。確かに苦しくて寂しいし、ストレスも溜まるけれど、そういうポジティブな言葉を聞いていれば、いつかまた笑えたり、新たなことにチャレンジできる気分になれる。だから意外と不安に苛まれることはなかったですね。

一人っ子で寂しがりだから、東京に住んでた時も、一時オーストラリアに住んでた時もルームシェアしてました。だから誰かと何かを共有したり、やりたいことをパッと伝えられる人がすぐそばにいる方が好きなんですね。1週間前も、友達みんなで自宅の倉庫にスケートボードのランプを作りました。どこにも行くことができないし、知らない人に会うのも怖いって状況だから、このタイミングかもって。そのランプ作りにみんながパッと集まって、スケボーして、そのままみんなでバーベキューして。こういうのって今だからこそだなって思いますね。どこかで買ってくるんじゃなくて、自分が欲しいものは自分たちの手で作る。僕はステイホームの時間の多くをランプ制作に費やしました。「毎日遅くまで何やってるの」って奥さんに怒られましたけど(笑)。

いままで以上に真価が問われる

これからは本質が問われる時代になってくるのかな。例えば飲食なら「お客さんを心から喜ばせたい」とか「美味しいものを追求したい」とか、そうやって「本質」をしっかり考えている人たちが支持されるようになっていくはずです。僕も自粛の間、家でご飯を作るようになって、食べるものってやっぱり「美味しいものの方がいいよね」っていう風に変わってきてる。そんな風に物の価値が明確になって、「便利だけど良くないもの」が排除されていけばいいなって思います。奥さんとは、農家が増えるねって話しています。都会のストレスが苦手な人たちが田舎に行って、そこで仕事を探す。農家をしている僕たちにとってみたら、「それチャンスじゃん」ってポジティブに捉えています。

コミュニケーションの変化へのとまどい

免疫がついたら終わり、薬ができたら終わり、というように簡単にはいかない気がします。ずっと昔に流行した病気だって、今もかかる人はいるし、実際に亡くなる方もいるし。そう考えると、コロナで結構シビアになった状況を元の状態に戻していくかは、僕たちが思っているよりずっと大変なんじゃないかな。だから「ソーシャルディスタンス」はこれからもしばらく続くでしょうね。僕は人とのスキンシップが好きだし、飲み物やご飯だって「一口ちょうだい」が当たり前だったんですが、それがなかなか言えない。この変化って実はすごく怖いなって思っています。気持ちの伝わり方が変わってしまいそうで。ボディータッチやハグもそうだし、自己紹介の時は必ず握手したいって思う人間だから、それができないかもしれないと思うと怖いし寂しい、どうしよう、みたいな(笑)。僕がグッとくるような人って、すごく強く握手してくれることが多かった。けど、変えたくはないけど、変えざるを得ない。自分だけじゃどうしようもできないですよね。

この状況で感じられた幸せ

「ALL YOU NEED IS LOVEセット」が結果的にとてもいい方向に進んで、先月はみかんジュースの注文数が過去最高の注文数だったし、自粛期間なのにすごく忙しくなりました。この経験を活かして、今度は「YES GOOD MARKET」っていうフェスに出品しようと思っています。もともと洋服や家具など、何かを作っている人たちが集まって作品を販売したり、アーティストのライブもある野外フェスだったのですがコロナの影響で中止になってしまった。でもインターネットで2日間限定の販売イベントをすることになって、僕もみかんジュースを出品することにしました。それで、このイベントのためのオリジナルのラベルを作ろうと、東京で一緒に住んでいた友達にイラストをお願いしたら快く描いてくれたんです。嬉しかったですね。時間に余裕がある今だからこそ描いてくれたんだと思うし、それを依頼できたのも、この状況だからこそということもある。そういうことって、すごく幸せなことだな、と思いました。

ローカルに目が向けられる社会に

自粛ムードの中で「いいものはいい」、そんな風に物の価値観が変わったらいいなって思います。なんでも自分で作る機会が増えたからこそ、物の価値はお金じゃないってことに気が付いた人が多いと思います。大量生産が当たり前というような世の中じゃなくて、かといって特別なものを特別と思い過ぎず、「本当にいいもの」をいいと言えるような、そんな感じかな。

あとは今回のコロナがあったことで、地元での助け合いの気持ちが強くなったと思うんです。スケートボードで例えるなら、スケートショップがその土地にずっとある理由って、その地域に根付いて地域のスケーターに愛されているからなんです。インターネットで買えばいいじゃん、とかじゃなく、お店に行ったらいろんな面白い話が聞けたり、切磋琢磨してスケートがうまくなるとか、そういうところにショップの良さがあって。もともとローカルを応援しようというムードはありましたが、コロナ禍で、小さなものでも地元のお店で買うことって大事なことなんだなって強く思うようになりましたね。

数年後、また誰にでもボディータッチができるような世の中に戻ったら「めっちゃいい音楽。久しぶりにこんな重低音聴いた」みたいな感じで、友達と肩を組みながらお酒を飲んで踊りたいですね。で、この体験を話す時には「こうして肩を組みながら話せるのも実はすごい幸せなことなんだよ」ってことを伝えるでしょう。けど、時間が経ったらみんな忘れてしまうんだろうな。

1993年生まれ。愛媛県宇和島市吉田町でみかんを栽培している。自身が立ち上げた「Tangerine」で、栽培したみかんだけでなく、彼自身のストリート要素をつめこんだ商品を展開中。将来は、農家ワーキングホリデーを立ち上げること。 WEB SITE https://tangerines.stores.jp | INSTAGRAM https://www.instagram.com/wakayou

OUR ASSOCIATES

face × anna magazine × TIMEX "Original Camper"
2020年9月発売予定
https://www.timexwatch.jp/

18

どんなことでも
フィールドに繋がるように
活動したい。

THE NORTH FACE PR

鰐渕 航

アウトドアフィールドの魅力を伝える

THE NORTH FACEを中心にIcebreakerや、macpacなど、アウトドアブランドのPRをしています。PRってあんまり仕事の範囲に境界線がないのでいろんなジャンルの仕事をしていますね。雑誌やメディアへの貸し出しはもちろんですが、ブランド主催のイベントの運営なども僕がメインで動くこともあります。そのほか、WEBのコンテンツ、紙のカタログ制作なども担当しています。イベントは特に楽しくて、自社企画はもちろん、様々なアウトドアフェスにも出店させていただいています。お客さんと触れ合うこと自体とても楽しいですし、ブランドにフィードバックをもらえる時も嬉しい。トータルで考えるとTHE NORTH FACEというブランドを広めるというより、アウトドアフィールドの魅力そのものを身近に感じてもらえるようなことをしたいんです。どうしてもアウトドアのアクティビティは、気軽に始めるのが難しいと思われがちなんです。だからコミュニケーションを通して、少しでもアウトドアに興味を持つ人が増えれば嬉しいですね。

文化をなくさぬよう、今こそ助け合いが必要

新型コロナウイルス感染症が発生して、一番先に家族に連絡しました。奥さんとは「全然マスクが買えてなくてまずいね」とか、結構シリアスな話もしていました。仕事の心配よりもまずは自分たちの生活について、身の回りのものが揃っていないことをどうするかって話をしてました。夫婦で登山によく行くんですけど、ゴールデンウィークで長期間の登山を予定していたので、最初のうちはどうにか行ける方法がないかと真剣に考えていたのですが結局は断念しました。あとは両親。60代以上の高齢の世代で、彼らにとっては感染が本当に命の危険に関わるので、体調確認の連絡を何度か入れました。

僕は会社員なのでまだ恵まれていますが、個人事業主の方は大変な状況になってしまっていると思います。アウトドアの業界でも、例えば山小屋の運営が厳しかったり。最近はクラウドファンディングなどで基金を募って、山小屋を助けようという動きが出てきましたね。THE NORTH FACEも山にまつわるブランドとして動いてはいるんですけど、やっぱりいろんな部分に影響が出ているんだなと思いました。一生懸命木材を運んで作った先人たちが作り上げた山小屋が、たった一回のウイルスのせいで失われてしまうのは、あってはならないこと。だから、今こそ助け合いが必要だって感じました。クライミングジムも営業停止を余儀なくされているのですが、実はあるアンケートで、これ以上の自粛が続くと運営が本当に危ないというお店が大半を占めてしまっているんです。それをなんとかしたいなと

いう話も、社内で出ています。たった一つのひずみで、長く続いてきた文化そのものが失われてしまうと考えると怖いですよね。

いままでできなかったことをやれた時間

自粛期間に「やっぱり人と繋がる幸せ」というのを改めて実感しました。友達や家族と、電話したり、テレビ電話で飲んだりする時間がすごく良かったんです。それと、家で遊ぶことが上手くなりました。アパートに小さな庭があって、そこで過ごす時間が増えました。家庭菜園をしてみたり、天気のいい日にテントや寝袋を干したりして。いままでできていなかったことをやれているという意味で、いい時間になっていますね。基本は家で過ごしつつも、息抜き程度に近所をランニングをしていますが、体力維持も大切だなと思いましたね。走るのは好きじゃなかったけど、リフレッシュ感覚で週に4回ぐらい走っています。だんだん走れるようになって、来たるべき時に備えて山を登る時の体力づくりにもなるし、健康維持にも繋がってるなと。走ったり本を読んだり、ニュースをちゃんと見るようになったり。いままで気にしてなかったことへの気の配りようが自分ながらすごい。それはちょっと新しい発見ですね。

様々な作品から想像を膨らませる

最近読み返していたのが『ここらで広告コピーの本当の話をします。』という本。PRもクリエイティブも時代の流れでどんどん変わっていきそうなので、その参考になればなと。あと『DESIGN FUTURE』。これはデザインの本なんですけど、僕らが考えているデザインと世界のデザインの概念の違いが書かれていて、デザインの概念を正確に捉えた上で、日本ではどうしていくべきかという考え方が書かれています。あとは、山の雑誌を読み直してどんなルートで登ろうかなとか、地図見ながらこういうところ行きたいなとか。いろいろ想像するのがとても楽しいんです。

過去に観た映画も見返していましたね。毎日1本映画を観るほど映画好きなので、結構見尽くしちゃっているんです。『エベレスト』『MERU／メルー』『シェフ 三ツ星フードトラック始めました』の3作品が印象に残りました。『エベレスト』は、当時エベレストに登ること自体が一瞬ブームになった時があって、それがきっかけで歴史的な事件が起こった。流行りだけで登る場所じゃないんだと、山の恐ろしさと厳しさをすごく思い知らされるんです。富士山がコロナの影響で2020年は開山されないことになり、勝手に入って登る人が出てこないように、この映画が戒めになったらいいのになって思いました。『MERU

／メルー』っていう映画は2015年のドキュメンタリーなんですけど、監督も主演も、実はジミー・チンというTHE NORTH FACEの海外のアスリートなんです。その人がヒマラヤ山脈にある一つの岩壁に挑戦するストーリー。前人未踏の峰を3人の男で登るのですが、登場するアスリートの人生にもフォーカスされていて、改めて見ると非常に面白いですね。奥さんにおすすめされたのが『シェフ 三ツ星フードトラック始めました』。ああいう車で世界各地を旅しながら回ることに憧れます。

インプットの重要性

この状況下で仕事をする中で、会社の先輩に「きたるべきその時に備えてインプットをして、ちゃんとアウトプットできるようにしといたほうがいいよ」と言われ、なるほどなと思いました。何でもかんでも情報を仕入れればいいってわけではなく、必要な情報を自分で選択して掘ったり、自分がもともと持っていた情報を整理するというのもインプット作業だと思うんです。簡単な話で言えば、名刺を整理するとかリストを管理するとか、そういうのも含めてインプット期間って考えたら、普段できていなかったこともいろいろやらなきゃなって思うようになりました。このタイミングで無理にアウトプットしても裏目に出やすくなるので、今は自分にとって重要なインプットを優先しています。それと、一番感じたのは「提案力」が大切だっていうこと。僕らの仕事は、先に雑誌の企画があり、それに対して貸し出しをして掲載させてもらうっていうパターンが多いと思われがちなんです。でもやっぱりこのタイミングで考えたのは、こういう状況やタイミングを捉えた上で、いかに自分たちから提案をするかだと思ったんです。だからイマジネーションやアイデアがすごく大切。そういう意味でも日頃のインプットが重要だなと思いましたね。

それでもやることは変わらない

僕の仕事の核になっているのが、フィールドを知ってもらうこと。まずは実際に行ってもらうことが目的なんですね。だから、どんなことでもフィールドに繋がる活動にしたい。けど今回の件で、外に遊びに行きましょうと言いにくくなった。その中で自分たちには何ができるかって考えました。それでもやっぱり僕は「フィールドに行ってください」という仕事をした方がいいと思いました。そこはどうしたって変わらないなと。絶対にフィールドに行ってはいけないわけじゃなく、段階的に行けるようになるのなら、むしろ行った方がいいなと思うんです。大切なのはどうルールを守るのか、ということを促すためのコミュニケーションだと思うし、行くために必要な準備が何かってことも、僕らがちゃんと考えなければいけないこと。こんな時だからこそ、自然の偉大さや尊さを改めて感じることに意味があると思うんです。

僕自身が一番変化したのは、健康志向になったこと。あるスタイリストの方に「食事制限はしてもいいけど、減らすのはよくないよ。この状況で免疫力を下げるようなことをしたら絶対だめ」とアドバイスをもらったんです。いままで食にもそこまでこだわってなかったし、山に行くのも「好きだから」とか、何でもそういう単純な理由であんまり深く考えていなかった。けどそうじゃなくて、ほかの人や家族に迷惑をかけないためにも、食べることを通して、様々な外的要因から守れる体を意識して作っていなきゃならないんだなって実感しました。自分が病気になってしまったら悲しむ人もいますし。

それと、友達の大切さを感じています。人との付き合いが、これまでよりずっと濃くなっていきそうです。こまめに連絡するのもそうだし、やりたいことはその時やっておかないとだめだなと思いましたね。今リアルにやろうと考えないことは、きっとその先もやらないんじゃないかって。そういう自分の思考一つひとつが大切だし、現実的に考えるべきだなと。海外の山を登るなら「いつか」じゃなくて2年後には登るとか。家族ぐるみで仲がいい友達夫婦がいて、4家族で別荘買いたいとか夢を語っていたんですが、今すぐ買った方がいいんじゃないかとか(笑)。

アウトドア業界でウイルスとの付き合い方を考える

もちろん早い段階でワクチンや新薬ができれば、ポジティブな世界になりますよね。でも、個人的な考えですが、8月とか9月ぐらいにもう一回世界が我に返って、自粛ムードになると思うんです。密を避けた方がいいとか、そういうムードはすぐには変わらないんじゃないでしょうか。結果的に感染者数は減ったかもしれないけど根本的な解決策が生まれたわけじゃないですしね。そう考えるとやっぱりみんな控えめになってくるし、そうなった時アウトドア業界全体で、どうやって「フィールドにいてもいいんだよ」っていう方向に持って行けるかが大事ですよね。コロナがまったくなくなることは難しいので、ウィルスと上手に共存する方法を考えて、あらゆることがプラスの方向に進んでいければいいですよね。完全に収束したら、とにかく登山ですね。もう山に行きたくて、うずうずしています!

某アパレルPRを経てTHE NORTH FACEのPRに。これを機に山の楽しさに目覚め、今では夏も冬も登山、雪が降ればバックカントリースノーボードなど1年中を山で過ごす様な外遊び人へ変貌。最近は海釣りの楽しさも覚え、更なる遊び人へ磨きをかける。

OUR ASSOCIATES

https://www.goldwin.co.jp/tnf/

19

向上心を忘れず、新たなことに挑戦し続ける。

俳優・モデル

バーンズ勇気

舞台で人と接する快感

小学4年からダンスをやってきて、ダンスを武器にしたエンタメ舞台を中心に俳優をやっています。あと、モデル活動。俳優とモデル業の大きな違いは、舞台はきつい、モデルは楽しい。言い方は悪いかもしれないけど、舞台はかなりしんどいですね。だけどその分ステージ上での気分はとてもいいです。ずっと夢だったし、ライブが大好きなんです。目の前でお客さんの反応が見られるってライブ感は、映像にはないものだから。モデルに関して言えば、「顔を整えとく」とか「太らないように体型維持」とかで、やろうと思ったらできる。けど舞台は、常にいろんなことを勉強しないといけない。まったくできなかったことを、1ヶ月後にもう完璧に習得できなきゃいけない。例えば僕の場合、タップは一切できなかったけど、今は踏めるようになった。きついとか悔しいというのを超えて舞台に立ち、お客さんの反応を生で感じた時の快感は鳥肌ものです。回を重ねるごとに感情が乗ってきたりしてね。やりきった後の達成感があるから、自信をもって次の現場にいけるんです。「怖いもんなんてねえ！」ってハイな状態で。

新しくお金を生み出す方法が必要

舞台をメインに活動してる人たちは、この状況は正直かなり厳しいと思います。僕自身も3本くらい舞台が中止になって。延期して来年開催するみたいですが「人来るの？」って思いますし。いままでいつもやっていたことがまた当たり前にできるような感じもしない。ワクチンとかが開発されてみんな安心するようなことがあっても、多分何もかもがすぐに元に戻ることはないと思うし、ダメージはありますよね。けど逆に考えてみたら、今の状況は、職業も人も関係なく、「よーいスタート！」で始められるタイミングな気がする。だからどんな人だって「何やってもいいんだ」っていうスタンスになれるっていうか、むしろ「チャンスじゃね？」って思います。

自粛モードでSNSがすごく重要になってるからこそ、そこで自分が面白いって思ったことをどんどんやっていけば、それがお金に変わる可能性がある。僕だったら俳優としてじゃなくて、全然違った新しいことをしてもいいんだって意味で。そういう何でもありの時代が来る、今はそういう風にポジティブに考えてます。最初は「あ、もうやばい」って思ってましたけどね。その時は給付金の話とかもなかったから。僕は去年の舞台のノベルティやグッズの売り上げが入ってきてるから、今は生活できる。けど、これ来年とか年末とかはどうなるんだろうって考えて、お金を生み出す方法を考えていかなきゃって方向にシフトしたんです。

リモートで感動を与える難しさ

自粛が始まって連絡をよく取ってるのは親友の仲野太賀。グループラインもあるけど、個人的にも連絡してて。僕は舞台で、太賀は映像がメイン。けどみんな今仕事が本当にないみたいで。常にお互いに「発信したいことをどうやってアウトプットしようか。まず何から始める?」とか「リモートで演劇やっちゃう?」とかアイデアを出し合ってます。ふざけながら、ポジティブに。実際に2人でやってみたこともあるけど、結構難しいですね。「わあ太賀くんだ」「勇気くんだ」みたいにはなるんですけど、ほんとそれだけなんです。ファンの人たちが普段の感じを見られて嬉しいってなっちゃうだけで、その先に感動を与えたりってことが、なかなかできない。抜け感がありすぎちゃうのかもしれないですね。

人生笑ったもん勝ち

こんな時でも幸せを感じられるのは、やっぱり「ごはん」ですね！　食べることの幸せ。ぶくぶく太ってますもん、今(笑)。自炊もしますけど、デリバリーやテイクアウトが多いですね。あとは、こんなに時間を自由に使えることってなかなかない。普通はここまで休んでたら焦るけど、今はみんな同じ状態だから仕方ないし、こんなにも何もしなくていい時期があるって思ったら、ある意味幸せだなって。いい意味でも悪い意味でも、自分が本当にやりたいことに向き合えてるから、リフレッシュされて社会に復帰したとき、新しい自分が見せられるんじゃないかって楽しみなんです。6月10日くらいからいろいろ始まる予定ですが、とにかくめちゃめちゃ楽しみです。

元からネガティブなタイプじゃないし、いつも「なんとかなるっしょ」って自分に言い聞かせてるタイプだから。小さい頃から芸能界にいると、嫌なことがあったらすぐハッピーなことでカバーするってことが癖になってるんです。だからいつもマインドはポジティブだし、周りの人間も「考えてもしょうがないっしょ」みたいな感じですね。もちろん5年10年先って言われたら不安はあるけど、とりあえず、今できることを精一杯やっておこうって思っています。そういう「いけるっしょ精神」でめちゃくちゃネガティブになったことはないかもしれない。人生笑える分だけ笑っとこうぜ！　笑ったもん勝ちでしょ！　みたいなテンションで生きてます（笑）。

向上心を忘れずに

ここのところ聴いてる音楽で気に入ってるのは、OZROSAURUSっていうラッパーの「ON AND ON」という曲。全部ポジティブなことしか言ってないんです。「笑えるだけ笑え！」ってサビに入ってたりとか「やらないよりはやってみれば？」とか。「やれ」って言い方じゃなくて、「やった方がいいことは必ずあるぜ～、俺についてこいよ～」って歌詞の雰囲気がすごくかっこいい。こういう時期だということもあるし、自分のマインドに近い部分もあるし。基本的にはヒットソングとか好きな曲ばっかり聞くタイプなんですが、久しぶりに日本語ラップを聞いてたんです。Spotifyでたまたま辿り着いて、「めっちゃかっこいい、誰だ？」って見たらOZROSAURUSだった。

それと、自粛期間に一番刺激を受けたのが渋谷謙人って仲いい事務所の先輩俳優からの言葉ですね。謙人くんは「セレンティピティ」って言葉が好きで、自粛期間に連絡とったときに「セレンティピティって言葉超大事だから」って言われたんです。「Aを全うしたら必ずBが出てくる」って話なんだけど、Aってのは自分がやりたくないことかもしれないけど、頑張って全うすれば、必ず自分が求めてたBが現れるんだよって。それってこういう時じゃなくても大事な考え方だなって思いました。本当にやりたくない仕事なんてどの世界でもあると思うけど、真面目に取り組んでいれば、やりたくなかったものでも好きになったり、自分の成功に繋がったりする。それは間違いない。「向上心を忘れたら終わりだよ」って言われたような感覚だったんです。

コロナの影響はありますけど、自分の仕事が大きく変わるわけではないですね。ただ、「なんでもやりますよ」っていう余白は広がったかな。俺はこれしかやらないって、今までは食わず嫌いなところもありましたけど、そうもいかないなっていう。やらせてくれるんだったら、どんなジャンルだってやらせてくださいってオープンなスタンスになりました。もちろん俳優とダンスって軸はブラさないですけど。

どの仕事も毎回本気で取り組んできましたが、自分が出る作品が大事だとさらに強く感じるでしょうね。いままで以上に自分自身がその舞台に本当に必要な存在かってことが問われると思う。金銭面だって前よりシビアになってくるかもしれない。誰もがそうだと思いますが、だからこそ最低限の食い扶持を得るための手段や生活の仕方なんかを、一つひとつきちんと考えなきゃいけないと思います。

新たな表現で自己発信

自粛期間が終わったら、音楽をやろうと思っています。歌ったり、ラップするのが好きなんですけど、なかなか機会がなかった。でもこの機会にYouTubeで使う曲を作ったり、丸々1曲アーティストとして作りたいとも思ってます。事務所からOKも出たので。ファンクバンドがやりたい。身長の高いメンバーがみんなスーツで決めて、ファンクミュージックでラップするとか。もうバンド仲間は集まってるから、すぐに始めますよ。いつかは音楽したいってタイミングを見計らってたんだけど、今なら「バーンズが歌始めたよ～！」とか言われず、しれっと入っていけるような空気感かなと。

YouTubeコンテンツも考えています。僕も弟も英語を話せるから、日本と海外をもっと繋ぎたいっていうか気楽に近づけるようにしたい。2人だからできる独特なおふざけもあるしね。考えているのは僕たちが「すごい！」って思う人たちを、海外に向けてプロデュースすること。僕も弟も音楽をやってたし海外の人たちが求めてるノリがわかるから、そういうプロデュース力も企画としてやりたいですね。ほかにも、子ども向けに楽しくダンスをしながら英語を教えるとか。弟はファッションが好きだからアパレル的なコンテンツもできそうですしね。僕たちがかっこいいんじゃなくて、いつも一緒に遊んでいる人たちのバックストーリーがかっこいいって感じの、オールマイティなYouTubeにしたい。僕らが生きてきたストーリーというかスタイルを知ってもらいたいんです。今はそんなことないけど、僕らが小さい頃は、ハーフっていうだけで叩かれてたし、いいことばかりじゃなかった。でもだからこそ、面白いストーリーがあるんだってことを伝えたいって思ってます。

これから「コロナ世代」みたいな人たちが出てくるわけじゃないですか。世界がこれほどひどい状態になるなんて誰もが初めての経験だったはずだし、今回のことをきっかけにじゃないけど、人と人同士がもっともっと思いやって、助け合っていけたらいいですよね。仕方ないけど「近寄らないでください」って感じだったり、特定の国の人がすごく責められたり。そういうのがなくなって、みんなが笑える日々が来たらいいなって思います。まずは自分の「隣の人」を思いやる心を持ちたいですよね。

1992年12月27日生まれ。2003年デビュー。アメリカ人の父、日本人の母をもつハーフ。英会話は堪能。2004年NHK「天才てれびくんMAX」にてれび戦士として出演。その後もタレント活動を続ける。近年は、2016年「TERRACE HOUSE BOYS & GIRLS IN THE CITY」に出演。2019年 THE CONVOY SHOW vol.37「星屑バンプ」よりコンボイに加入。ファッション誌のモデルや舞台を中心に俳優として活躍中。

TWITTER https://twitter.com/byrnes_yuuki｜INSTAGRAM https://www.instagram.com/yukibyrnes_official

OUR ASSOCIATES

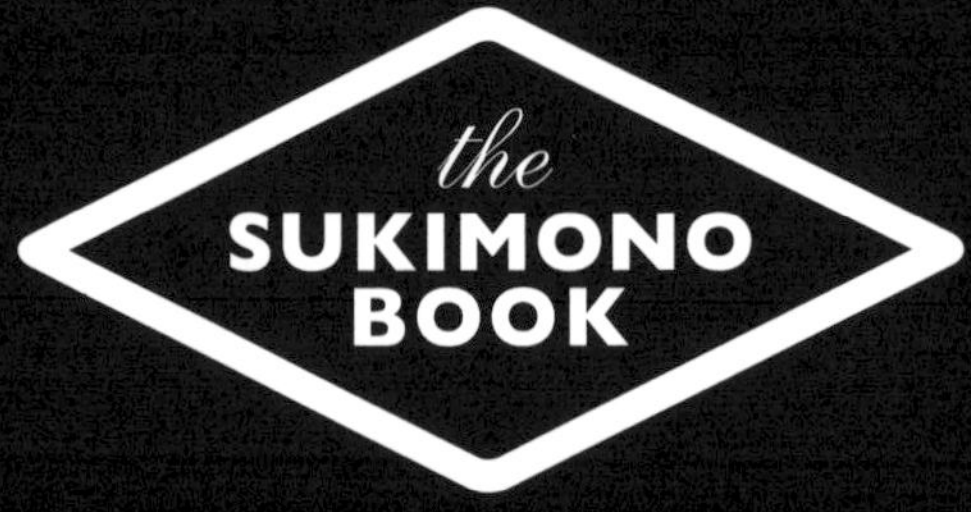

とにかく好きなんだからしょうがないという好き者による、好き者のためのブックシリーズ
『THE SUKIMONO BOOK』発売中!

20

社会は変化しても、
ひたむきに
制作し続ける。

ドローイングアーティスト

SUGI

自由な発想で生み出す

普段はドローイングアーティストとして活動していて、CDジャケットや雑誌の挿絵などを自由なイメージで制作させてもらうことが多いですね。もともとグラフィックデザインを勉強していましたが、自分の中でしっくりこなかったんです。仕事もないし、趣味程度になっていた時に、個展をする機会をいただいたんです。その個展の反響が大きくて、絵でいこうと決意しました。それでも絵で食べていけるような経験をほとんどしたことがなかったので、30歳手前ぐらいで芽が出なかったらやめようと期間を決めて活動していたら、27歳ぐらいの時にミュージックイラストレーションアワーズというイベント用に描いたアートワークがスポンサーの特別賞を受賞したんです。それがきっかけで、作品を徐々にみんなに認めてもらえるようになっていきました。

それでも一時期方向性に迷っていた時期があって、ラッパーのKOHHのジャケットを手がける、上岡拓也さんというアーティストの方の作品に衝撃を受けました。ルネ・マグリッドのオマージュをしていたんです。ヒップホップのアルバムなのに、直球のアートで勝負している人がいるんだって。それからは上岡さんの姿勢を見習って、自由な発想で制作に取り組むようになりました。定期的に個展も開催していますが、福岡で5月に開催する予定だった個展は、コロナの影響で延期になってしまいました。

それと、自粛前まではKANDYTOWNというヒップホップグループのメンバーと一緒に、渋谷のクラブ「Contact」で音楽イベントを定期的にやっていました。メンバーのMASATOとMinnesotahと学生時代からの仲で昔から知り合いだったので、フライヤーのデザイン、作品の展示、運営を含めて部活みたいにワイワイやっています。

今は落ち着いて次のステップを考える

自粛が始まって最初は自粛ムードがどんより漂っていて、かなり落ち込みました。この先どうなるんだろうって不安で、展示もイベントもできない、どうしようって。けど少し経って、今はインプット期間なんだ、と考えられるようになりました。新しいことを始める計画はあったけど、慣れないことをバタバタとやるより、今は一旦落ち着こうって気分でいます。

自粛期間で一度仕事がグッと減ったんですけど、ちょっとずつ盛り返してきています。「アーティストがリモートで何ができるか」みたいなオファーとか、普段お世話になっている方に動画で見せられる立体作品を作らないかと声をかけていただくようなこともあって、新しい試みにも挑戦しています。

いろいろな制限の中で改めて感じたのは、自分の活動は

「人が集まるエンターテイメント」なんだなということでした。普段はまったく意識していませんでしたが、過去の個展の写真を見返したり自分の仕事の内容を考えてみたりしたときに、やっぱり「人」の存在が大きかったなって。

コロナが流行し始めて、一番最初に家族に連絡しました。話の中で不要不急が叫ばれる中、アートやエンタメ系の仕事への不安を感じて、相談したら、「絶対またコロナが落ち着いたら必要な時が来るから、それまで力を貯めなさい」という母親の言葉を聞いたら、少しホッとしました。それと、弟が自粛期間中に誕生日だったので、会いには行けないけれど、プレゼントをネットで注文して送って、電話しながらお祝いもしました。家ではNetflixを観てたり、本を読んだりして過ごしています。面白かったのは『恋愛小説家』という映画。精神疾患でずっと恋人ができなかった潔癖症のおじさんが、ある日、気になる人ができて、どんどん成長していくストーリー。めちゃめちゃ変なおじさんなんだけど、最後いい感じに結ばれるんです。それがなんだかめちゃめちゃ嬉しくって。「ここでそうなる?」みたいなどんでん返しのような展開に、感情を揺さぶられました。ハッピーなラブストーリーだし、ポジティブになれる映画なので、この時期にぴったりでしたね。本は、ビジネス系、自己啓発、デザインの本を読んでいました。『思考のスイッチ』っていう本があって、僕はクライアントワークもするので、仕事の時の考え方などの参考にしています。例えば「どうやって効率よくスピードを保ち、納期を間に合わせるか」とか。自分の個展のフライヤーを作ったりもするので、『やってはいけないデザイン』という本も読み返しました。自分でできることは自分でやりたいなと。部屋では、昔聴いていた音楽を聞き返すことも多かったです。「昭和の沁みる系」の河島英五さんとか大橋純子さんとか聴いていました。しみじみとお酒を飲みながら聞くと、沁みるんです。それが今の気分ですね。

社会は変化するけど、自分の活動は変わらない

これからの日本では、東京が中心じゃなくなるのかなと感じています。僕は三重の片田舎から出てきたので、「会いたい人にすぐ会える」という東京のフットワークの軽さは、とても重要なことだと思っていました。でも世界がどんどん多様化していく中で、いろんな場所で活動する人が増えていくし、それで成り立つ世界になるんだろうって思うようになりました。

「会社に行かなくていいじゃん」って気付いた人も多いと思うし、インターネットやSNSのテクノロジーの利便性が日本中の人に理解されましたよね。芸能人がYouTuberになったり。

アンディー・ウォーホルの言葉に「舞台を見る人と出ている人が、ガラッと入れ替わる時がある」というのがあるんです。今はまさにそういう時なのかなと。だから僕自身

も「何か違う角度でできることがあるんじゃないか」と一時期もやもやとしていたんですけど、僕にとって作品を制作するということは、根本的には何も変わらないし、変えようとしなくていいんだと思うようになりました。ひたむきに制作し続けるということ自体が、僕自身の活動を貫く一本の芯になっているんです。

近いうちにライブ配信を始めたい。手元を映して自分が描いているところを見てもらうのもいいかもなと。とにかく、自分がいつも変わらず制作し続けているところを見せる。やっぱり誰もが不安を抱えていると思うので、ＳＮＳ上で発信したり、画面越しだとしても「自分は変わらずにやって行く」という姿勢を見せたい。綺麗だなとか、見て楽しいとか、これおもろいんちゃう、みたいなポジティブな作品をどんどんシェアしていきたいです。僕の作品を見て、何かを思ったり、考えるきっかけになってくれたら嬉しい。半年後も「相変わらず絵を描いていてよかった」って自分自身に言えるように、ずっと絵を描ける環境を保ちながら、前向きな気持ちでいたいですね。

アフターコロナの世界では、新しいムーブメントや新しいアーティストが、あらゆるプラットフォームからフラットに生まれて、新しい世代が腐ることなく盛り上がるようになってほしい。僕自身も変わらず制作をし続けるつもりですが、誰かがそれを見て「俺も負けない」というような強い気持ちが持てるような環境ができたらいいですよね。

リアルな場で作品に触れてもらう日を待つ

いつか絵を描きながら世界中を回ってみたいし、海外で暮らしながら絵を描いてみたい。去年ニューヨークに行って、そこで生活をするように街を観察するのがすごく面白かったんです。小さい頃からスパイダーマンとかタートルズなんかに影響を受けていて、ニューヨークに行った時も漫画のままの世界が広がっていましたし、嬉しくて、スパイダーマンいるかなと空見たりして。また何も気にせずいろんな場所へ行けるようになることを願ってます。

あとは、早く展示もしたいです。質感だったり、思いだったり、やっぱり画面越しでは伝えられないことがあるので。展示はコミュニケーションツールだと思っていて、とにかく生で見て欲しいという思いが強いんです。自分の作品を直接見てもらえる場をもう一度復活させたいですね。

1990年三重県生まれ。"MUSIC ILLUSTRATION AWARDS 2017"にてBEAMS T賞受賞。これまでにG-SHOCKやRenault（ルノー）の広告など、MASATO、Minnesotah（KANDYTOWN）、MARTER（JAZZY SPORT）、illmore（chilly souce）のジャケット、アパレルとのコラボレーションにライブペイントなど枠に囚われない様々なアート表現を展開。その自由・大胆かつ詩的な描写が脳を駆け巡るイラストレーションは、若者を中心に老若男女、ジャンル問わず各方面から注目を集めるアーティスト。

INSTAGRAM http://www.instagram.com/sugi_afro

21

一つひとつの
行動を大切に、
新たな表現を追求する。

UNION TOKYOディレクター

LONO BRAZIL III

影響し合うマルチな活動

UNION TOKYOというアパレルブランドのブランディング・ディレクションのほか、DJとしても活動しています。ブランドとの繋がりでDJイベントを開催することもあるので、それぞれの活動が互いにインスパイアし合っているイメージですね。ランチームを作ってみんなで一緒に走ったり、ランニングを広めるための活動もしています。簡単にいえばランニングという文化を盛り上げるってことですね。モデルの仕事も少し、自分が共感できる仕事をフリーで受けている感じです。

それぞれの活動はバラバラに見えるかもしれないけど、自分が好きでやっていることが、全部どこかで繋がっている。例えばディレクターの仕事がきっかけでモデルの仕事をもらったりとか。フリーランスで活動しやすいこの時代だからこそ成り立ってるんだと思います。僕は直感で行動するほうなので（笑）。

以前はニューヨークに住んでいました。大学を卒業した後はショップスタッフをやったり、音楽イベントをコミュニティベースで主催したりして、音楽とイベント、好きなファッションをミックスして表現するという体験がごく当たり前にあったんです。両親が音楽業界で仕事をしているんですが、特に母親は日本のクラブミュージック業界の人で、ファッションブランドのイベントを手伝うことも多くて。その関係で「音楽とファッションが交わる世界」に知り合いがたくさんいたんです。UNION TOKYOのオープニングの話も、その繋がりですね。両親の影響でクラブミュージックを聴いて育って、その仕事をずっと見てきて、音楽とファッションは自分の活動に特に強く影響しています。

音楽イベントやパーティーは自分なりの「スタイル」を大事にすることや、「ルーツを掘る」という作業が表現としてとても大切なんです。で、それを実際に体験するには、その場に行かなきゃ始まらない。リアルタイムでしか生まれないスタイルやトレンド、そしてカルチャーがあるから。僕自身は現場に出向くことが好きなので、音楽のコミュニティと近かったのは大きい。そもそもあまり家にはいないしね（笑）。今も面白いものがあったら自分からどんどん出向きます。特に海外のカルチャーは自分に刺激を与えてくれます。例えばニューヨークはたくさんの人種が混じりあっていて、自分自身のルーツがほかの人のルーツと自然にミックスされて「表現」がどんどん進化していくのが面白い。そのペースがとても早くて、日本では考えられないようなアイデアが次々と生まれていく。アメリカだけじゃなくヨーロッパでも、面白いものはどんどん自分の目で見て、日本でどう面白いものに昇華するかいつも考えています。

行動の優先度、物の価値がはっきりした

生き方をリセットするタイミングだったなと、ポジティブに捉えています。いままでなんとなくしていたことが実はいらなかったりとか、自分が「いるもの」「いらないもの」をちゃんと選択できました。「脳内断捨離」が起きた感じ。自分にとって必要ないものを取り除くことで、ほかのアウトプットにその時間を費やしたり。この先に本当にやりたいこととやりたくないことを研ぎ澄ませていく時間という感じです。

食べ物一つとってみても、以前より気にするようになりました。普段食べていたものは「なんとなく」食べていたんだなとか、外に食べに行けるようになったら一番最初に食べたいものって、本当に好きなものなんだなあとかね。そんな風に、身の回りのあらゆるものにプライオリティがついたように思います。

それと、インディペンデントな活動をしている人に注目が集まったり、サポートするという動きが出てきたのはとてもいいですよね。大量生産されたものを消費するより、自分が住む地域の人や知り合いの中でポジティブなメッセージを発信している人々が作るものをサポートしたいっていう意識を持てました。ストアディレクターとしてもインバウンドに頼りすぎていたってことにも気付かされたし、まずは、今自分が住んでいる周りの人たちを大事することができてから、世界に向けた発信をするべきだなと思っています。

自分を理解できた時間

コロナが起きたことで、有名人も一般人も完全にフラットになった中で「アーティストとしての自分」を自覚しました。いままでは「アーティスト」というメンタリティを持っていなかったんです。直感で行動し続けてきたからこそ今の自分があるんだけれど、これからはその行動一つひとつが、自分という一アーティストとしての表現になるのかなと。アイデンティティの変化でしたね。例えばアメリカ人っていつでも自分の意見を主張するのが得意ですよ

ね。僕はどちらかといえば、何か完成したものを主張したいって考えだったけど、みんなそれぞれストーリーが違うんだし、行動の一つひとつを表現として捉えてもいいんじゃないかと思えたんですね。それも脳内断捨離で、自分の考え方がまとまってきたタイミングでもあったので。

スポーツをアートとして魅せる

ランニングの活動において追求しているのが「スポーツをどうアートとして魅せるか」ということ。僕はもともとずっとスポーツに打ち込んでいたので、今でもプレイヤーとしてはアスリートっぽく本格的にやるけど、スポーツには、その正反対の世界というか、技術よりも感性に訴えかけるような、アート的な魅せ方もすごく大事だと思っているんです。例えばバスケをプレイしてきて昔からずっと感じていたのが、バスケをしている人って、たいていオフがかっこよくないんですよ(笑)。バスケはできるけど、「それしかできない」とか「世間を知らない」って思われるのがとても嫌だった。そういうステレオタイプなイメージを崩したいというのが、この活動のきっかけですね。その取り組みの一つとして、知り合いのフォトグラファーと作品を作りました。コロナで人がいなくなった風景の中に、僕がランナーの被写体として入って、ランニングとランドスケープを組み合わせた作品です。今しかできない特別な表現になったんじゃないかと思っています。また、ランニングをスポーツとは違う見せ方をしてみたくて、音と組み合わせた映像作品として表現したりしています。

それと、今は少しずつ音楽のプロデュースをしたいと思っていて、機材を揃え始めました。DJとしてだけではなく、表現の一つとしてゼロから音を作っていきたいなと思って。DJもプロデュースもできて、自分の好きなルーツからインスパイアされた作品を作ってみたいですね。

コロナが収束したらまず、「いつも会ってた人と会う」ってことがしたいかな。そして今回のことが「いいきっかけになった」と思えるようになったらいいですね。「苦しい時ほど、いいものが生まれてくる」っていう側面もあると思うんです。この先たくさんのカルチャーや人がアップデートされて、いつか振り返ってみた時、今回のことが将来に繋がる大切な時間だったんだと思えたら最高です。

1988年生まれ。ニューヨーク出身。20歳まではニューヨーク、ロサンゼルス、東京にて育つ。ストリートシーンを黎明期から支えてきたニューヨーク発の人気セレクトストア『UNION』の日本ショップ『UNION TOKYO』のディレクターを務める。また、DJの活動の傍ら、2014年ランニングチームRASACLUBをニューヨークで結成し、生活の中に溶け込んだ新しいスタイルのランニングを提案。東京へ帰国後も、NIKEのランニングエキスパートとして活躍するほか、ランニングチームAFEにて活動中。WEB SITE https://www.uniontokyo.jp | INSTAGRAM https://www.instagram.com/lono3

POST SCRIPT

あとがき――「共感」で繋がる人と人の新しい関係

「ニューノーマル」という言葉がすっかり浸透し、誰もが価値観を変化させるべきだという論調が本筋となりつつある世界においても、コロナ禍の前後で価値観が完全に変化したという人は、インタビューに参加していただいた方の中にはほとんどいませんでした。全員に共通していたのは「もともと大切にしてきた自らの価値観」が鮮明になったということ。当たり前に日々を暮らしていると「自分が何を一番大切にしているか」を強く意識することは少ないものですが、ステイホームという特殊な状況の中で、じっくりと自分自身にフォーカスする時間ができた結果なのだと思います。

もう一つ、誰もが口にしていたのが、オンラインという「場」の可能性が広がったということ。実際僕たちもオンライン上でインタビューを進めていくほどに、オンラインコミュニケーションの利便性を強く実感しました。人はつい「昔ながら」の方法論にとらわれがちだけれど、必要なのは「新しさ」に向き合う勇気を持つだけだったということです。物理的に人と会えないのであれば、人はどうにかして繋がろうと努力するもの。そうしてコミュニケーションを繰り返すことで、どんな状況であっても、どんどん新しいアイデアが生まれていく。結局のところ僕たちにとって「人と人との繋がり」こそが、最も大切にすべきものだったのだと感じました。

不測の事態が起こった時、憶測でものを話したり、匿名で都合のいい情報だけ切り取って伝えるということがいかに不毛で何も生み出さないかということも実感しました。恣意的な情報によって傷つく人がいたり、不安に思う人がいるなら、なおさら残念なことです。今後は、注目を集めたいという目的のためだけに、ことさら何かを騒ぎ立てるようなムードは淘汰されていくでしょう。何よりも僕たちがこのインタビューを通して強く感じたのは、リアルな気持ちをストレートに伝えるということの強さでした。今回行ったすべてのインタビューもそうでしたが、「開かれた」コミュニケーションを大切にする人が増えてきたような気がします。コロナ禍で、世間的にも、誰もが「自分の意見を素直に言っていい雰囲気」になってきました。これまでは、自分の気持ちや考えをストレートに発信することは、実はとても難しいことでした。でも、今ならどんな人でも意思表明をした上で、本当に素直な気持ちを発言できる。誰もが自分らしい意志を持ち、誰かと本気でそれを語り合うことができるような、しなやかでポジティブな世界の訪れを予感させてくれたインタビューでした。

これからも僕たちは、世界中のあらゆる人たちの「本当の気持ち」を伝え続けていきたい。日々をひたむきに生きることは最高に素晴らしいことだけど、人生に夢中になればなるほど、自分自身の「本当の気持ち」と向き合う時間をつい忘れてしまうものだから。だからこそ、「健全で安全なコミュニティ」が最も必要とされていて、それを支える、家族でも友達でも恋人でもない、「共感」で繋がる「人と人との関係」こそが、アフターコロナの世界を支える重要な核になると感じています。このインタビューを通して、誰もが気持ちを素直に伝えることのできるコミュニティがどんどん広がっていくことにワクワクしているし、その高揚感こそがアフターコロナの世界の希望そのものなんだと思います。

厳しい状況の中、長いインタビューに真摯に協力していただいたすべてのみなさまに感謝するとともに、今後も一緒に語り合える大切な仲間の一人に加えていただけたことを、心から嬉しく思います。

（LUKE magazine／須藤 亮）

LUKE magazineのコンセプトは、「Thirty-agers(サーティーンエイジャーズ)」。「Thirty-agers」とは30歳「Thirty」と10代「Teenage」を組み合わせた造語です。30代になっても、10代の頃のように夢を追う熱い気持ちを持ち続ける人や、自分の進むべき道を決めて日々ひたむきに努力を重ねる人たちのことを「Thirty-agers」と名付けました。20代は立ち止まることなく走り続けた日々だったけど、30代は一旦立ち止まってこれからの自分のことを真剣に考えるようになるタイミング。LUKE magazineはそんな30代真っ只中の人、これから30歳を迎える人たちに「30代って最高だ!」と思ってもらえるメディアを目指しています。

"thirty-agers"
interview magazine
LUKE MAGAZINE
vol.2
2020 秋 発行予定!

LUKE magazineと姉弟誌
anna magazineの要素を
詰め込んだ新しい形の
WEBメディア『Container』も展開中。
container-web.jp

大二郎酒場

教育について語らう人たちのオンライン酒場。20代から60代までの学校の先生が、企業の経営者が、人事が、プロスポーツ選手が、アナウンサーが、思想家が、社会活動家が、日本だけでなくインド、フランス、ドイツ、アメリカなど世界中から集い、教育という永遠のテーマを肴に杯を交わし合う。「教育って最高にかっこいい!」を象徴するカタリバ。コロナ禍の中で生まれたこの社交場では、夜な夜な変革者たちの「できたこと」が蓄積されていく。毎夜がドラマだ。店主/稲葉大二郎(ネットマンCHO)今しかない俺しかいない。

BAG ONE

BOOK & CAFE BAR

PROD. TWO VIRGINS

BAG ONEは出版社TWO VIRGINSが運営する「本を読む人が集まる場」をコンセプトにしたBOOK & CAFE BARです。【本】自社で出版した本だけではなく、ビート文学、カウンターカルチャー、旅、アウトドア、建築など「人生が豊かになる本」を新刊・古書問わず選書しました。【カフェ・バー】世界中のラム150種以上を常時揃えており、スパイスを漬け込んだ自家製ラム酒でつくるレモンサワー「トゥーヴァージンズ」は看板メニュー。現在ラムBOXを開発中。【イベント】本を中心とした定期的なトークイベントやサイン会、ワークショップを開催。併設する展示スペースでは写真やアート展示も行っております。

編集長
須藤亮（Mo-Green）

編集統括デスク
木村慶（Mo-Green）

編集
梶山春菜子、
松井美雪（Mo-Green）

編集アシスタント
鈴木貴、
仲道晴香、
諸角優英（Mo-Green）

営業
後藤佑介、
吉川海斗
（TWO VIRGINS／BAG ONE）

アシスタントPRディレクター
田中賢斗（Mo-Green）

アートディレクター
三浦裕一朗（Mo-Green）

デザイナー
會澤明香、
周佐直彰、
小林愛実（Mo-Green）

クリエイティブディレクター
溝口加奈（Mo-Green）

LUKE MAGAZINE | FIRST ISSUE

6 MONTHS LATER

アフターコロナの僕たちへ。

2020年7月15日発行

編集人――須藤亮
発行人――内野峰樹

編集――Mo-Green co.,ltd.
〒150-0036 東京都渋谷区南平台町8-11
Mo-Greenビル2F
Tel 03-5738-7287
www.mo-green.net | container-web.jp
発行所――株式会社トゥーヴァージンズ
〒102-0073 東京都千代田区九段北4-1-3
Tel : 03-5212-7442 | www.twovirgins.jp
印刷――株式会社シナノ

ISBN978-4-908406-70-6